性格影响力

王慧梅◎编著

成都地图出版社

图书在版编目(CIP)数据

性格影响力 / 王慧梅编著. -- 成都 : 成都地图出版社有限公司, 2019.8(2022.4 重印)
ISBN 978-7-5557-1247-3

Ⅰ. ①性… Ⅱ. ①王… Ⅲ. ①性格-通俗读物 Ⅳ. ①B848.6-49

中国版本图书馆 CIP 数据核字(2019)第 176154 号

性格影响力
XINGGE YINGXIANG LI

编　　著: 王慧梅
责任编辑: 高　敏
封面设计: 松　雪
出版发行: 成都地图出版社有限公司
地　　址: 成都市龙泉驿区建设路 2 号
邮政编码: 610100
电　　话: 028-84884648　028-84884826(营销部)
传　　真: 028-84884820
印　　刷: 三河市泰丰印刷装订有限公司
开　　本: 880mm×1270mm　1/32
印　　张: 5
字　　数: 118 千字
版　　次: 2019 年 8 月第 1 版
印　　次: 2022 年 4 月第 3 次印刷
定　　价: 36.00 元
书　　号: ISBN 978-7-5557-1247-3

前 言

所谓性格，是指某些心理特征在一个人身上的有机结合，它体现出了一个人的独特风格。比如，一个人对自己负责的工作总是勤勤恳恳，善于克服各种困难去完成任务；对那些在工作和劳动中具有创新精神的同伴给予支持和赞许；对工作不负责和完不成任务的人则给予批评和热心帮助。从这个人对别人、对劳动、对自己的态度和行为方式上可以看出他具有坚毅、勇敢、顽强和热情的行为风格，这些心理特征的总和就构成他的性格。

性格一旦形成，对人生有着至关重要的影响。

英国大作家狄更斯曾说过："一种健全的性格，比一百种智慧都更有力量。"这句名言告诉我们一个真理：好性格胜过高智商。有什么样的性格，就会有什么样的人生。不同的人有着不同的性格，决定了他们对各种事物有着不同的态度，从而得到不同的结果，最后产生不同的人生境遇。确实，无数事实证明，一个人的成功与失败，与其性格息息相关。

性格本身并无好坏之分，只要我们应用得好，将性格优势的一面表现出来并加以运用，就会做好你想做的事，成为你想成为的人！

本书从性格定义、性格类型、不同性格的外在表现以及性格对人的前途命运的影响等多个角度，对性格的内涵作了深入挖掘和全面阐述，并结合大量有说服力的现实事例，剖析了优良性格的积极作用和缺陷性格的负面作用。通过本书，读者可以识别自己的性格特征，发现自己的优点和弱点，最大限度地发挥自己的潜能，高效地开展工作，经营生活，从而把握机遇，彻底改变自己的命运，创造和谐圆满的人生，获得成功和幸福。

如果你希望命运出现转机，享受成功事业的快乐，就要马上行动起来，克服自己在性格上的缺陷，你会发现，自己的人生将走向光明、幸福。

2019 年 4 月

目　录

CONTENTS

第四章　塑造乐观性格：用积极的态度面对人生

第五章　具备进取性格：把命运握在自己手里

第一章

什么是性格：破解性格密码

了解性格：蕴藏在人身上的钻石矿脉

法国作家让·吉罗杜说过这样的一段话：“从我们的幼年开始，每个人身上就编织了一件无形的外衣，它渗透于我们吃饭、走路以及待人接物的方式之中。这件外衣就是我们的性格。”

从前，在非洲，有一个一心想要发财致富的农场主。一天傍晚，一位珠宝商前来借宿。农场主对珠宝商提出了一个藏在他心里几十年的问题：“世界上什么东西最值钱？”

珠宝商回答道：“钻石最值钱！”

农场主又问：“那么在什么地方能够找到钻石呢？”珠宝商说：“这就难说了。有可能在很远的地方，也有可能在你我的身边。我听说在非洲中部的丛林里蕴藏着钻石矿。”

第二天，珠宝商离开了农场，四处去收购他的珠宝去了，而农场主却激动得一宿未合眼。农场主做出了一个决定：将农场以低廉的价格卖给一位年轻的农民，然后就匆匆上路，去远方寻找宝藏。

第二年，那位珠宝商又路过这个农场。晚餐后，年轻的农场主和珠宝商在客厅里闲聊。突然，珠宝商望着书桌上的一块石头两眼发亮，并郑重其事地问年轻的农场主这块石头是在哪里发现的。年轻的农场主说：“就在农场的小溪边发现的，有什么不对吗？”珠宝商非常惊奇

◇ 好性格带来好人缘 ◇

性格是人成功的先决条件。良好的性格可以让人被他人所接受和喜爱，也会带来更融洽和谐的人际关系。

地说："这不是一块普通的石头，这是一块天然钻石！"随后，他们在同样的地方又发现了一些天然钻石。后来经勘测发现，整个农场的地下蕴藏着一个巨大的钻石矿。而那位去远方寻找宝藏的老农场主却一去不返，听说他后来成了一名乞丐，最后跳进尼罗河而死了。

这个故事告诉我们：真正的钻石不在远方，就在你身边。我们每个人身上都蕴藏着一个可以让自己享用一生的"钻石矿脉"，那就是我们的性格。

如果将一个人比作一栋大厦，那么性格就是这座大厦的钢筋骨架，而知识和学问等则是充斥于骨架中的混凝土。钢筋骨架决定着一座建筑物能建成高耸入云的摩天大楼还是低矮的简易楼房，而性格决定着你的一生是悲剧连连、平平庸庸还是建功立业、让人敬仰。

那么，什么是性格呢？

概括地讲，性格就是人在对人、对事的态度和行为方式上表现出来的心理特征，如理智、沉稳、坚韧、执着、含蓄、坦率等等。根据心理学的理论，一般认为一个人的性格很难改变。我们可以认识某人的性格特征，并在必要时对其做一定程度的修正，但人的基本性格主要取决于基因中某些固有的因素，就和我们眼睛的颜色一样是不可改变的。

人，是天地之心，是万物的灵长，但是，人类自从睁开双眼的那天起，就为命运所困扰，人类的历史也就成了与命运进行永不妥协的斗争的历史。命运正像孔子所说的"吾十有五而志于学，三十而立，四十而不惑，五十而知天命"。所谓

"五十而知天命"，并不是说他已经预先知道了天命，预测到了自己的未来，而是说他已经懂得了自己做什么和如何去做。实际上，这就是将外在的命运内化为自己的性格。把握住了自己的性格，也就把握住了所谓的"天命"。

性格虽然具有先天性和不可改变性，但是它仍然离不开后天的塑造。苦其心志，劳其筋骨，自古英雄出磨难；生于忧患，死于安乐，是智者与愚者的不同归宿。塑造性格的主动权，不在命运的手中，而是在我们自己手中。

1. 性格的特征

尽管性格的差异是普遍存在的，但是不能否认人们的性格也存在着共同性。因为人是生活在群体之中的，相同的环境条件与实践活动会使人们的性格带有群体的共性特点。例如，维吾尔族同胞具有热情好客、能歌善舞的特点，这就是维吾尔族人的共性特点。共性是相对存在的，而性格的差异是绝对的。具体地说，性格的特征大致包含了以下方面：

（1）整体性

性格是一个统一的整体结构，是人的整个心理状态。每个人的性格倾向性和性格心理特征并不是各自孤立的，它们相互联系、相互制约，构成了一个统一的整体结构。

（2）稳定性

性格表现为一个人对外界事物所采取的一定的态度和行为方式，这是一个人比较稳定的心理倾向和心理特征的总和。所谓"江山易改，禀性难移"，就是说一种性格特征在其身上一旦形成，就比较稳固，不论在何时、何地，于何种情境下，人总是以他惯用的态度和行为方式行事，这就是性格的稳定性。

（3）独特性

每个人的性格都是独一无二的，因为每个人在后天的实践环境中，条件不可能绝对相同，而且即使是生活在同一家庭中的兄弟姐妹，宏观环境相同，个人的微观环境也是有差异的。所以每个人的性格都反映了自身独特的、与他人有所区别的心理状态。

（4）社会性

人同时具有自然和社会双重属性。一个人如果离开了人类，离开了社会，正常心理发育将无法完成，更谈不上性格的发展。性格是由社会生活条件和环境所决定的。性格是一个人的先天素质与其所遭遇的复杂多变的社会关系所构成的矛盾的统一。人的性格的形成一部分来自先天的遗传基因，一部分受后天环境的影响。不同性格的人，决定了其把握机遇的能力也不同。性格后天的可塑性对于人的性格成长非常重要。“性格决定命运”，从这句人人皆知的话语中，可以看出性格对人的一生有着极其重要的影响。

（5）个性特征

不可能所有的人都具有相同的性格特征。一个人的性格特征的形成，是由遗传等先天因素和环境等后天因素共同决定的。因此性格特征也是各不相同的。例如，我们如果说某个人“性格外向”，可是他究竟是思维方面外向，还是社交方面外向呢？还有思维方面的外向，又在哪一点上表现得最为突出呢？这些复杂的区别每个人都具备。

（6）共性特征

个性特征尽管千差万别，但有些特征却是许多人所共有的。

我们不难发现，种族、年龄、性别和生活环境等条件非常相似的人群，其性格在某种程度上具有共同的东西——这些就是共性特征。

（7）表层特征和深层特征

表层特征是指存在于人的性格表面的特征。由于它存在于性格的表面，因此就易于受到每个人的生活环境的影响，而且也易于进行直接的观察评价和测定。另外还有一种并不直接表现出来，而是存在于人的性格深处的特征叫作“深层特征”。所谓“知人知面不知心”就是形容这种不易发现的深层特征。

（8）心态特征

人对现实生活的态度是性格最主要的组成部分。心态特征主要是看待和处理各种社会关系方面的性格特征。性格的这种特征决定了一个人对人生的选择方式。

（9）意志特征

意志是人对自己行动的自觉调节的能力，它包括发动和制约两个方面，对于人的独立性、主动性、自制力、坚韧性等方面起着促进强化或抑制削弱的作用。意志特征在人的性格中具有十分重要的位置。

（10）情感特征

情感特征又被称之为性情，一个人经常表现的情绪活动的强度、稳定性、持久性和主导心境方面的特征就是性格的情感特征，它直接控制影响人的自我状态。因此情感的调控能力是性格中的一种必备的素质。一个人在人生道路上不可能是一帆风顺的，也就是说，当外部环境不顺利时，要学会充分利用性格的优点，避免性格上的弱点，只有这样，你的人生才可能立于不败之地。

2. 性格的风采与魅力

性格作为一个人独一无二的标志性属性，从形成之初就一直散发着独特的个人魅力。也许你曾遇到过这么一些人，他们以其充满魅力的个性深深打动了你。而你呢，无论在理智上还是在情感上，都被他们吸引，这种吸引是那样的心甘情愿，以至于你会在不知不觉中去为实现他们的目标而效力。

但究竟是什么使这些人具有如此的吸引力呢？其实，秘密就在于他们具有独特的“性格魅力”。所谓魅力是由他的性格所决定的，通过与他人在身体上、情感上及理智上的相互接触，从而对他人产生积极影响。性格魅力主要包括七大要素：

（1）个人形象

你的眼神，你说话时的小动作，你耸动肩膀的样子，或者是一个笑容等。所有这些都会反映你个人形象的优劣。

（2）表达能力

你的想法也许很巧妙，但是，如果你不把它说出来，又有谁知道呢？表达能力就是这样一种能让别人了解你内心所想的能力。

（3）聆听技巧

对于那些受教育较少，或者疏于训练的人来说，多听也是一把交流的钥匙，它同样会使人觉得此人不同凡响。

（4）说服技能

这是一项鼓励人们采纳你的意见或接受你的领导的技巧。就一个观点而言，无论它多么伟大，倘若不被采纳，都将毫无用处。

（5）适应他人的能力

不了解他人的风格，却想与之建立联系，这是很难的。所以，要努力提高你的行为的适应性，以便建立起良好的人际关系。

（6）广博的见识

不论你是一个多么强有力的雄辩者，不论你在建立人际关系上有多大的能耐，也不论你在形象、聆听和利用天时地利方面做得怎么好，你都必须以广博的见识来支撑你的言论，否则你就是一个空架子。

可见，并不是某个单一因素构成了个人性格魅力。事实上，一个人之所以有魅力，正是由于他有着这么一些联成一体的技巧和方法。

不过，性格魅力并不建立在智商和遗传的基础上，也不建立在财产、幸运和社会地位的基础之上。它完全可以通过个人努力而加以掌握。无论什么样的性格，只要努力完善都足以形成具有巨大影响的、独特的性格魅力。

追根究底：探究性格的形成与发展

性格比人性、人格的概念更为广泛，它既有天生的、遗传的因素，也有后天的、社会的因素。 我们只有准确地把握性格决定行为的规律，对性格与成败的关系有深刻地了解，充分把握性格与生俱来的特征和后天环境造成的变化，才能准确地把握人的性格。

人们常用“食一种米，养百种人”这句话来形容人的性格千差万别这一特点，那人的性格为什么有着这么大的差异呢？事实上，除了先天性的遗传外，后天的环境、心态、一个人的气质等，都是影响一个人性格形成和发展的重要因素。

1. 心态是造就性格的基石

心态是造就性格的心理基础，有什么样的心态，就有什么样的性格。 内向型和外向型两种不同的性格成就了不同的人生。

内向型的人，心理活动倾向于内部，一般表现为沉静，处事谨慎，深思熟虑，反应缓慢，适应环境比较困难，顾虑多，交往少。

历史上有名的诗人王国维个性孤僻、极端，他忠于清帝国，曾任过清朝末代皇帝溥仪的老师。 溥仪的退位，大清的崩溃，使他万分伤感，而他找不到可以给自己以解释的理由，最终走上了自杀的道路。 当时正值社会的变革时期，又处在新旧文化的交替点上，其个人的气质又极为特殊，所遭遇的事又极其复杂，而他事事又用自己内向、孤僻、偏激的性格来做出判断，所以他的结局是不可避免的。

外向型的人，心理活动倾向于外部，经常对外部事物表示关心，开朗、活泼、情感外露，当机立断，不拘小节，独立性强，善于交际。宋代豪放派诗人苏轼就是一个外向型的代表。苏轼可谓旷达之人，虽屡遭挫折，但饮酒赋诗，不改乐观情怀，以大江出峡之势，写壮阔之景，抒雄豪之情，是典型的外向性格。即使在政治上屡遭贬谪，父母、妻子相继亡故，与弟弟苏辙又天各一方的时候，他精神上虽然非常痛苦，思亲之情日甚一日，但最后还是以旷达的眼光去看待生活的磨难，宽慰自解，并寄于人类以良好祝愿："人有悲欢离合，月有阴晴圆缺，此事古难全。但愿人长久，千里共婵娟。"至于他的"大江东去，浪淘尽，千古风流人物"，那种恢宏之气就更不待言。

2. 环境是影响性格成长的瓶颈

人的许多行为模式与性格，在幼年就已经有差异了。影响性格形成的因素除了先天性的父母遗传因素，就是后天的环境因素了。

在人们的生活环境中，社会风气、社会生活、所见所闻、他人的榜样作用等，对一个人的性格起着潜移默化的影响。在农村长大的孩子一般较淳朴，能吃苦，但不够活跃；在城市长大的孩子一般较活泼、灵敏，但吃苦精神差；在战争、动荡的环境中成长的人较坚强、独立；在"暖房"、安逸的环境下成长的人较娇嫩、依赖。

环境为什么能影响人的性格呢?

人总是在一定的环境中生活，总希望得到环境的认同。因此，人们选择自己的行为方式，并不总是完全凭个人的认识和爱好，而是有意无意地按环境的要求塑造自己的性格。

猛虎处深山，威猛无比，百兽震恐，但放到公园的铁笼之中，时间一长，却变得温驯如猫，摇尾乞食。何以变化如此？就是因为环境的变化，渐渐地制约和磨灭了老虎的“虎威”。当然，人不同于动物，不会完全听凭环境的摆布。但是，环境毕竟是人类赖以生存的必要条件，这就决定了人们的个性发展一定要受到环境的制约。所以，一个人的性格可以反映出他所处的环境的特点。

（1）地理环境不同则性格不同

人的生存和发展总要有一定的物质作为基础，而地理环境直接影响到这个区域所提供的物质基础。一个区域里的光照、气候、地形、位置、资源等因素决定了人们以什么样的方式来获取生存所需要的物质，从而决定了人与人之间所处的关系和人们对生活的理解和态度，这些因素也会影响到人们的性格形成。

我国北方人与南方人的性格差异很大。北方人的性格多表现为豪放、粗犷、热情幽默、爱开玩笑，习惯于简单朴素的生活。他们是自然之子，相对于浙江、上海、广州一带的人来说，就趋于保守。

在东南一带，长江以南的人们性格具有其独特性。他们习惯于安逸，勤于修养，老于世故，头脑发达，喜欢诗歌，感情细腻，精于算计。

在广州一带，人们的性格又有其特点。那里的人们充满了活力，无论是男人，还是妇女，都有事业心，能努力进取，有好斗、好冒险、浪漫、脾气急躁等特点。

造成这些差异的重要原因，很大程度上与地理环境的差异有直接的关系。我国的北方，有辽阔的草原和平原，丘陵较少，地势比较平缓，放眼四周几里以至几十里均能一览无遗。他们常常是骑着骏马纵情驰骋，唯有豁达爽朗的个性才能与这样的生活相协调。另一方面，北方多干旱，降水量少，物产不如南方丰富，生活受到许多限制，他们惯于过艰苦的生活，性格质朴、敦厚。

相反，在南方，地形地貌受山水的阻隔，条块分割相当严重，平原地区沟河纵横，山区峰回路转，远眺不能。南方人多在“巴掌般大”的土地上精耕细作，久而久之，自然养成精打细算、谨慎小心的习惯。

江浙一带与大江相伴，和海洋为邻，地理位置优越，气候温暖，水源充足，土壤肥沃，经济发达，自古有“苏湖熟，天下足”之说。地理环境的优越，促使了经济的繁荣，人们生活富足，因而人们习惯安逸，勤于修养，文化十分发达。这一带有许多大小湖泊河川，水网密布，交通方便，人烟密布，城镇发达，工商业繁荣，所以这里多出精明的商人，养成了他们心思细腻的性格特点。

（2）家庭环境对人的性格形成的影响

家庭是社会的细胞，是社会的基本生活单位。人一生下来，首先是一个家庭成员，在家庭中接受父母的教化。由于父母具有不同的世界观、人生观和不同的文化修养，给予孩子的影响也不尽相同。所以，家庭对人的性格形成、特定心理品质的培养等方面都起了十分重要的作用，这是其他方面不可取代的。人们常说，不同的家庭给孩子不同的影响，有什么样的父母，就有什么样的孩子。父母及由父母所创造的家庭环境将会影响孩子的一生。不同的家风、家规、家庭关系对人的性格、气质、情绪等方面的影响也极大。

我国现代教育家、儿童教育家陈鹤琴先生指出："幼儿自一出生，就得到父母和家庭成员的保护和关怀。幼儿在家庭中得到温暖和爱抚，对幼儿的感觉和情感上的发展特别重要。同时，幼儿个性形成的最初基础，也是在家庭中奠定的。家庭对幼儿的思想和行为习惯的影响是极大的。幼儿在父母那里学说话，认识周围的事物，模仿父母的言行，在父母的影响下形成性格。"

家庭环境可以从多个方面对性格的形成产生影响，比如家庭的居住条件、父母的关系、父母与孩子的亲密程度、父母的教养方式、家庭结构类型等等。这些因素对性格的影响，在程度上是有差别的，有的直接影响性格的形成，有的是间接地影响性格的变化。

孟母三择邻的故事想必很多人都知道。孟母为了给孟轲选择一个良好的学习环境，一次次地搬家，孟子能够长大成才，与其周围良好的环境有着密切的关系。因此，家庭结构和家庭的教养方式对孩子的性格形成有着直接的影响，这种影响终其一生。

家庭按人口和序列的组成不同，形成不同的家庭结构。

一般有单亲家庭、核心家庭、主干家庭、联合家庭等几种。家庭结构对人的性格形成有着很大的影响。

单亲家庭指家庭中只有父亲或只有母亲组成的家庭。单亲家庭一般有两种情况，一种是父母一方死亡，一种是离婚。父母一方死亡而产生的单亲家庭相对离婚而产生的单亲家庭，对孩子产生的创伤要轻得多。人们对死亡者总是宽容的，会时常提起死者的好处，所以，孩子虽然失去了一位亲人，心理还是平衡的。但是离婚却会给孩子带来很大创伤，对孩子的个性形成有着极大的负面影响。

父母离婚前，是处于一个冲突阶段，因感情的破裂而互相指责，甚至摔打东西，这会使孩子产生很强的紧张和焦虑感，在他人面前感到羞愧，心事重重、孤僻、伤感。

父母离婚后，由父母亲的一方带着孩子生活，家庭中的人际关系减少了，家庭内部的关系单调了。但是，孩子却要面对更为复杂的其他方面的人际关系，而这种复杂程度往往是孩子所不能理解和接受的。比如，父母离婚后，离开的一方有时会偷偷地回来看望孩子，这可能会引起另一方的不满而产生争端。孩子会明白自己的父亲和母亲不能再生活在一起，不能再爱他了。父母为了争取到孩子的爱，可能会对孩子说对方如何不好，这在孩子心目中，会对父母的形象产生疑惑。也可能父母离婚之后，双方都不愿意要孩子，使孩子陷入极大的痛苦和矛盾之中，从而产生一种被人抛弃的感觉，这在孩子性格的形成中，会产生极大的影响。在家庭中得不到父母的关注，感受不到家庭温暖的孩子，往往在性格上出现不同侧面、不同程度的缺陷。比如平等观念强烈，但欠缺同情心；

忍受力强但意志薄弱；思维独立性强但发展方向不正确，欠深刻。

主干家庭是家庭中有三代人，由祖父母、父母、子女组成的家庭。祖父母辈或父母辈有时偶尔的也包括在内。这种家庭形式俗称为“大家庭”，是中国传统的家庭结构形式。这种由祖孙三代人组成的主干家庭关系比较复杂，孩子在家庭中要和三代人打交道，扮演多种角色。他们不仅是父母的子女，而且是祖父母（或外祖父母）的孙子或孙女（或外孙子或外孙女），如果有兄弟姐妹，就又多扮演一种角色。在这较为复杂的人际关系中，孩子适应环境的能力比在核心家庭中会得到更多的锻炼。

总而言之，家庭生活对一个人（尤其是对未成年人）性格的形成影响极大。父母以身作则对儿童形成良好的性格起着无可替代的巨大作用。

（3）学校环境对人的性格形成的影响

学校是一个人学习知识和技能的地方，在这里，人们学习如何为人处事，所以学校教育对学生性格的形成和发展也是至关重要的。

例如，在一个师生关系融洽的集体中，一个人往往可以得到肯定、尊重和温暖，那么他就容易形成积极乐观、进取自信、乐于助人的性格。相反，一个在师生关系和班集体中遭到否定、排斥、冷落和不平等待遇的人，往往会形成敌对、自卑的性格。

不同的性格演绎不同的人生

一位哲人说过："世上没有两片相同的树叶。同样，世上也没有两个完全相同的人。"文学大家金圣叹对此曾在评《水浒传》时说过："人啊，那是'各有其形状，各有其声音，各有其性情，各有其气质'。"

有差异，就有区别；有区别，就有个性。

同样是大敌当前，为什么岳飞临死不屈，而秦桧却卖国求荣？同样是才华横溢，为什么毕加索能一举成名，而梵·高却郁郁而终？为什么我们周围有的人开朗活泼，有的沉稳冷静，有的冷若冰霜，有的细心谨慎，有的粗枝大叶……

回眸生活的缩影，翻开历史的卷轴，我们会发现：同样的社会背景，同样的家庭环境，同样的智商，然而最后，有的人成功了，有的人却失败了。对此，有人谓之宿命，有人谓之机缘，果真是吗？

非也，性格使然。

楚汉相争时，原本禀赋过人的项羽目光短浅，爱慕虚荣，凡事勇在先，智在后，残忍有余，仁善不足，最后以 32 岁的英年兵败自刎，全盘皆输。项羽一生的行事作风为其个性左右，"不肯过江东"正是他执拗的性格使然。

而与其争霸的刘邦在起初表现平平，但他善于在追求目标的过程中，不断以高标准来完善和要求自己，培植优秀品质，克制天性中的不良成分，最后则承袭了秦始皇的大一统格局，尽收天下，开创了绵延四百年的汉朝。

因此，我们可以说，不同的性格决定不同的命运，不同的性格演绎不同的人生。下面，我们就从几位历史人物身上来进一步认识性格对命运的影响。

1. 林肯坚韧刚强成就伟业

天有不测风云，人有旦夕祸福。在人生的旅途上，经常会碰到激流险滩，或是顺境与逆境的转换，或是必须面对巨大的不幸和惨痛的打击。这时，你需要具备坚韧刚强的性格，做到“胜不骄，败不馁”，勇往直前。

看看下面这个美国人的“败迹”，你就会更加理解“人生不如意事十常八九”的含义：

8 岁时，被赶出居住的地方，他必须工作谋生；

21 岁时，经商失败；

22 岁时，角逐州议员落选；

27 岁时，精神崩溃，卧床 6 个月；

35 岁时，参加国会大选失败；

36 岁时，角逐联邦众议员，再度失败；

40 岁时，寻求众议员连任，失败；

41 岁时，想担任州土地局长被拒绝；

46 岁时，竞选国会参议员，失败。

这张“失败”的履历表上所列的“失败者”的名字就是亚伯拉罕·林肯。生下来就一贫如洗的他，终其一生都在面对挫折，两次经商均告失败，8 次竞选 8 次落选，甚至还曾精神崩溃。

不过，一次次的失败并没有把他打倒，尽管好多次他本可以放弃。可他不但没有放弃，反而勇敢地接受命运的屡屡挑战。正因如此，他在 52 岁时终于成功地当选为美国第十六任总统，并建立了丰功伟业。

没有一个人的成功是一蹴而就的，没有谁可以一步登天。恰恰相反，所有的成功都是经历了一连串的失败之后才获得的。

泰戈尔说："幸运女神不喜欢那些迟疑不决、懒惰、相信命运的懦夫。"

请永远记住：有什么样的性格，就有什么样的命运；选择什么样的心态，就有什么样的前途。

2. 拿破仑独立果敢雄霸天下

1769 年 8 月 15 日，拿破仑出生于科西嘉首府阿雅克修。他的独立果敢和热情洋溢都体现了科西嘉岛人的性格。

拿破仑 8 岁时被送到雷科神父的学校学习意大利文。他酷爱计算，经常几小时全神贯注地演算算术题。10 岁以后，他在法国布里埃纳军事学校学习，表现得非常羞怯、畏缩和孤单。这所学校，同当时其他 12 所学校一样，只招收贵族子弟。在这里，拿破仑学习了 5 年时间，并且做了一个影响他一生的决定——当一个兵。他精密而敏锐的思考、果决的判断和灵活的指挥在这里已显露出来了。

1789 年 7 月 14 日，法国爆发了大革命，拿破仑当时正在奥松服役。他同情革命者，不久，他到了科西嘉积极参与政治活动。他支持法国制宪议会的决议，拥护法国的民主政体，并认为法国革命为科西嘉的发展创造了条件。

8 月 9 日，巴黎群众向市中心出发，攻占了王宫，国王带着家眷逃到议会厅请求庇护，路易十六的君主政体被推翻。后来，拿破仑参加了共和国军向英军的作战，他第一次参与了指挥，不仅判断正确，而且冲锋陷阵，身先士卒。很快，国民公众特派员授予拿破仑准将军衔，任命他为意大利军团的炮兵指挥。

不久，反对共和派的二月党人发动了政变，拿破仑对叛乱分子的镇压获得了胜利。由于这次军事行动，拿破仑不仅在军界，而且在社会各阶层中，都威名大震。巴黎人把他看成一个具有天才指挥、果断精神和有坚强毅力的将军。这个事件以后成立的督政府中的掌权者，特别是他们当中的巴拉斯，对这个有超凡才华的年轻将军十分重视。国民也对拿破仑表示敬意，认为他的非凡努力拯救了共和国。他被授予少将军衔，任命为法国国防军和巴黎卫戍副司令。这时，他必须把因二月党人、雅各宾党人、王党分子之间的仇恨和冲突中所破坏的社会秩序稳定下来。

在这期间，拿破仑认识了一位名叫约瑟芬的寡妇。她的丈夫因犯“叛国罪”被送上断头台，留下一子一女。约瑟芬是巴黎沙龙中引人注目的女性，拿破仑深深地爱上了她。

自强、独立的人往往极有主见，他们为了达到自己的目标，不会放弃任何东西，也不会受任何人影响。

1796 年 3 月 9 日，他们举行了没有宗教仪式的婚礼。在结婚登记簿上，约瑟芬少写了 4 岁，拿破仑多写了 1 岁，实际上约瑟芬比他大 5 岁。

之后，拿破仑被任命为军团总司令。 他在法国和意大利人民中享有盛名，加上又有一支强大的军队，使他成为意大利实际上的统治者。

1799 年 11 月 9 日（即雾月 18 日），拿破仑看准时机，毫不拖延地发动了夺权的政变。 凭着这次不流血的政变，他在此后的 15 年内，处于法国最高统治地位。

1800 年，一部经过拿破仑修正的宪法草案交付全民投票表决通过，这就是共和国八年宪法。 他紧紧把行政权掌握在自己手中，同时善于利用那些有治国经验的人。

18 世纪 90 年代到 19 世纪初，法国为对抗欧洲反法同盟进行了一系列的世界性战争，它从 1792 年一直打到 1815 年。 这些战争都是拿破仑指挥的，被欧洲人称为拿破仑战争。 拿破仑的生命大部分消耗在军事上，他先后打败了奥地利、普鲁士这些当时欧洲强大的军队。

太自强、太独立的人的缺点，就是自以为是，武断且好大喜功，拿破仑也不例外。 拿破仑军事上的辉煌成就，古老王室元首和显贵们对他的卑躬屈膝，人民对他的信任、爱戴和顺从，以及对自己形象的竭力神化，使他的自我意志无限扩张，谋求新的胜利、新的荣誉、新的权利、新的空间已成为他的追求。 在他看来，世界不过是他的自我意志得以充分展现的场所。 拿破仑陶醉于中欧战争的胜利，认为自己的战略和谋略完整无缺。 他趾高气扬，认为他的意志可以决定一切，而法国又赋予了他这样的权利。 这样，他就做出了战略和谋略上的错误，甚至是狂妄的决策。 1806 年，拿破仑大军在普鲁士全境所向无敌，他颁布了“大陆封锁令”，强迫整个大陆与英军作战，这一决策引起了对西班牙的战争和奥地利的参战，因而拿破仑面临两线作战的局面。接着，他又发动了大规模的侵俄战争，激起整个欧洲起来反对法国。这样，拿破仑在欧洲东西部的战役接连失败，拿破仑帝国已摇摇欲坠了。

1815 年 4 月 12 日，法国元老院决定废黜皇帝，立法院也同意，最终两院联合宣布拿破仑退位。拿破仑当时 45 岁，他同意退位，并企图自杀，但毒药没有把他毒死，之后他摒弃了自杀的念头。4 月 11 日，拿破仑同奥地利、普鲁士、俄国签订了条约，按照条约他放弃了在法国的一切权利，去厄尔巴岛。这是一个位于意大利和科西嘉岛之间的小岛，当时的他名为皇帝，实为囚犯。但是，拿破仑自强不息，刚毅的性格再一次让他名震欧亚大陆。拿破仑带领一小队几乎没有武装的队伍，逃离了小岛，在法国登陆。短短的 3 个星期，没有杀伤一个人，他再一次成为法国的皇帝，这个奇迹来自于他的决心和勇气。

在滑铁卢之战中，拿破仑初战告捷。但是之后，他做出了一个军事指挥上的错误，被曾是他手下败将的将军布吕歇尔击败。这时，两院背叛了拿破仑，他被迫屈服于议会的决议，第二次宣布退位。不久，法国总司令达武签署巴黎投降书，路易十八在外国军队的护送下再一次登上王位。

1821 年 5 月 5 日下午 6 时，拿破仑与世长辞了。拿破仑最伟大之处就在于性格的伟大。精密而敏锐的思考和准确的判断，是他成功雄霸天下的基石。

3. 居功骄横，年羹尧负面性格自毁前途

年羹尧是清代一员著名的武将，他军功赫赫，却居功骄横。正是因为他放纵骄横的性格，为自己的政治前途，乃至生命埋下了祸根，成为一名以悲剧告终的历史功勋人物。

康熙末年，在皇室内部激烈的皇位争斗中，具有远见卓识的年羹尧认定了未来的皇位继承人将是康熙第四子胤禛，所以他选中胤禛作为自己未来政治前途的“护航人”。

在胤禛登基前后，作为一名重量级的朝廷大将，他在平定西北部少数民族的叛乱中战功赫赫，维护了各少数民族的团结，稳定了西北部边疆，显示出他卓越的军事才能和管理才能。他因此得以青云直上，达于极端，几乎是一人之下，万人之上了。

在皇室即位的争斗中，年羹尧作为一位拥有重兵戍守边疆的封疆大臣，他的支持分量之重是不言而喻的。因此，他也是雍正取得皇位的大功臣。

但在雍正王朝激烈残酷的倾轧斗争中，居功自傲，恃宠骄横的年羹尧注定要成为牺牲品。他逃脱不了由时代注定，也由他自己性格造成的悲剧命运。

据史载，当年年羹尧门下有一个湖南长沙的人，叫孙剑才，做其幕僚已有很久。

有一年，年羹尧大兴土木，兴建府第，术士们都来恭贺，他们异口同声地说兴建这个府第是“百年大业”，孙剑才却说了句极不吉祥的话：“转眼间即将化为废墟！”年羹尧一听，大怒，喝令手下人将他拉出去杀掉。孙剑才并不害怕，只是要求道：“请让我只说一句话再去死。”年羹尧听后便又将他召回来，孙剑才便说：“大将军大祸临头而还不醒悟——现在我愿就死。”年羹尧一听，心中不免一惊，免其死，忙让他讲明原因。孙剑才便说：“大将军功勋卓著，威震四海，然而功高震主，这必然会引起圣上的猜疑。”

年羹尧虽功勋卓著、智慧非凡，但骄横不可一世，在得到其门人警告之后，依旧居功恃宠，不思悔过，不为自己再谋生路，其悲惨结局已是注定。

到雍正皇帝乙巳年（1726 年），年羹尧被赐死。他的儿子被一个强盗劫走，这个强盗教他儿子读书、学剑。这个强盗是谁呢？就是孙剑才。他预料到年羹尧一定不会善终，弄不好，满门抄斩还不够，恐怕还得诛灭九族！孙剑才想为年羹尧保存一丝血脉，所以就采取了一个拦路劫人的智谋。几年以后，年羹尧果然遭劾查办，彻底垮台了。

据史载：年羹尧共计贪赃银三百五十余万两，罪状九十二条。廷议要对他施大辟之刑，其父及兄弟子孙、伯叔之子，年十六岁以上者皆斩。十五岁以下及母女妻儿姊妹并予功臣家为奴。上奏到雍正皇帝，雍正“恩予自裁。子富立斩。余十五岁以上之子，发边充军。其父遐龄、兄广东巡抚希尧革职免罪”，已经算是对他的恩赐了。

这位战功赫赫，又是雍正心腹的清王朝一代大臣，最后由雍正予以宽宥“赐死”，结束了他既是功臣，又是罪人的一生。

可怜年大将军，东征西杀一心为主，却不曾想雍正竟会秋后算账，将其辛劳功勋一笔抹杀，最后赐死，还是天大的恩宠。然而，这样的结局也正是由年羹尧自大骄横的性格所造成的。

第二章

性格误区：不同性格的内在缺陷

追求完美型：别因为不完美而苦恼

1. 基本特征

这种类型的人做任何事都力求完美，以积极的态度追求自己的理想，不惜付出任何代价。经常关心公正和正义，为人正直，值得信赖，坚信自己的伦理观是正确的。给人以“井井有条”的印象，经常注意保持克制，常把“应该怎么”挂在嘴边。如果“做得对”“理解得正确”会感到非常满足。

这种类型的人因为凡事都追求完美，所以工作的精确度一般都很高。他们能细致而正确地理解工作的性质，并具备聪明的头脑，事前认真准备，事后不忘整理归纳总结，令人钦佩。

另外，他们为人坦率，很会与周围的人友好相处。讨厌谎言，正义感强。不只自身向上，为了周围人能向上发展，会不辞辛苦，所以他们会把所有的时间都用在有积极意义的事情上。对他们来说，认真完成工作非常重要，为了避免一个小小的错误，会反复检查。看报纸的时候，看到贪污和卑劣的犯罪事件会非常气愤；走在街上，对不文明的人会感到厌恶。

2. 性格误区

十全十美是最好不过的事，然而世间绝无完美之事，这对于追求完美型性格的人来说，莫不是最大的苦闷。苦闷终究

◇ 不要过度追求完美 ◇

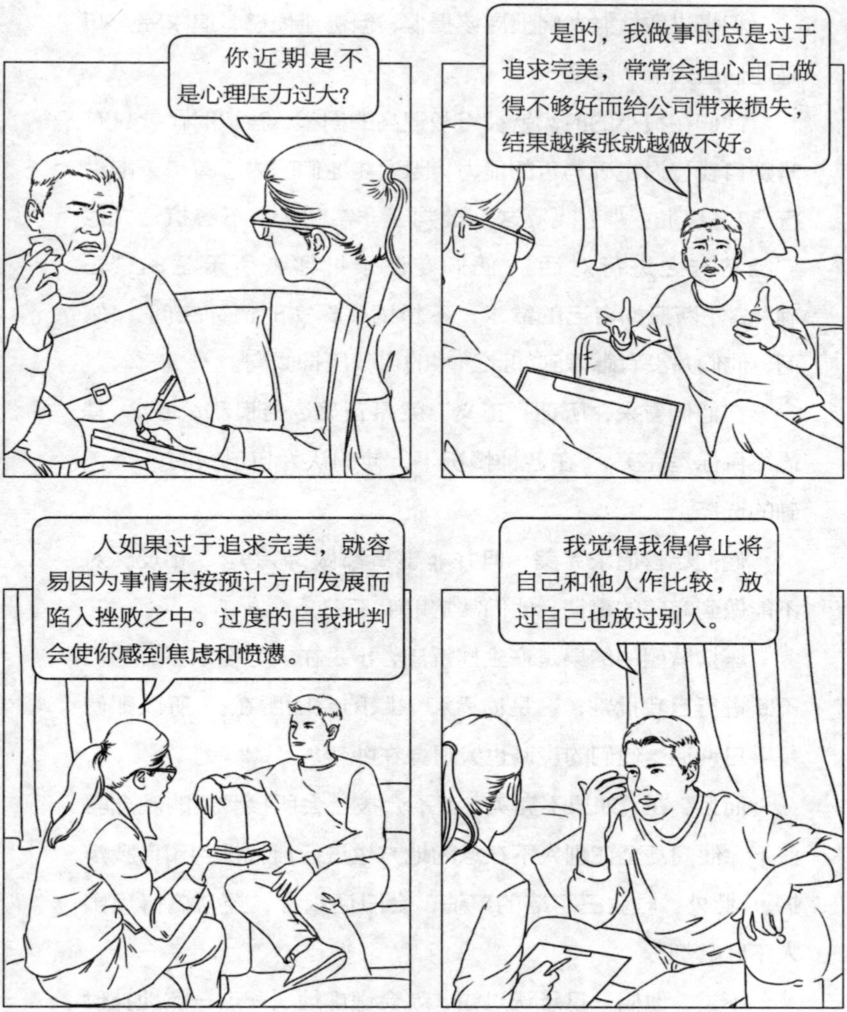

没有人是完美的，要走出追求完美的误区，从而宽容自身的错误，正确认识自己的长处与不足，凡事不走极端，就能逐渐走出压抑和焦躁的负能量状态。

无用，积极追求方为正道，这就要求人们对追求完美型性格的误区有充分的了解。

积极进取，努力向上应该提倡，但逃避愤怒，追求完美却是他们最大的“误区”。

他们在很小的时候就被寄予很高的期望，孩童时代就具有辨别自我行为正确与否的能力，因为在他们的内心有一个能进行自我批判的“我”。这个批判者非常强大，不容抗逆，他们经常与之进行对话。他们专注于批评者所示意的“正确”，不断压抑自己的欲求，不想拓展真实的精神空间。然而，他们并没有意识到如此强烈的自我压抑倾向。

在他们看来，所谓“正义”就是正确、善良和公正。其最终目标是完美。在各种情况下，他们认为自己只有一个正确的选择。

他们尽管追求完美，但并非事事都做得完美。相反，对不能做到完美的事情，他们常常甩手不干。

压抑欲望的结果是产生挫折感，于是在内心欲求下，他们不断进行自我批判，这是愤懑和焦躁的原因所在。所以即使是平日说话，他们的声调也大得像在吵架。

而且，在“如果不完美，就不会被社会所接受”的观念驱使下，他们甚至在别人不在意的地方也进行自我批判和自我辩护。此外，对业已了结的事情，会旧话重提，经常搞得周围人不胜其烦。

不过，他们一旦承认过错，就会谦虚地、一点一点地补偿过失。另一项特点是，他们是所有类型中忍耐力最强的。一旦知道如何达到完美，就会为此投入巨大的努力。

害怕被人瞧不起和担心违背勤勉美德的想法萦绕在他们脑际。越是担心，就越是怀疑别人是不是在背地里批评自己，并为此痛苦。

特别是在工作中，有的决定不可能是完美的。但他们往往不愿勉强地做出决定而后受人批评。这也不行，那也不行，一拖再拖，迟迟不做决定，这样的作风难免给人一种缺乏决断力的印象。

此种类型的人最糟糕的方面是压抑怒火，而怒火不到临爆发时他们不会察觉。他们认为，不断发泄是极坏的事情。因为随便发火的人，就不是完美的人。于是，心中虽然火冒三丈，也极力避免发火。

另一方面，他们常把自己和他人作比较。他们的比较很准确。但因为只有一个是对的，所以如果确认他人比自己优秀，便必须承认自己差。由于在比较中意识到自身不完美，就容易产生嫉妒、反感、愤怒及不满。

因为追求完美，务求缜密，不管责任多重大，他们都不会轻易推辞。这也是出于对“完美”的错误认识。他们追求完美的愿望是一种强迫观念：认定“不论周围的人，还是自己，都不完美”，没有知足的时候，不断寻找不足。本来具有追求完美的能力，但如果过于执着，会感到自己的人生是“担负着重大责任的辛苦人生”。比如，当夸赞他们“你的工作了不起呀”，他定会回答说：“哪里，我有的方面做得还不够。”这种谦虚和上进心值得敬佩，但未免对自己过于苛求。他们只关注现状，经过一段时间，会渐渐地失去自己仍在努力向上的感觉。

当追求完美的误区危害人们自身时，人们必须从误区中走出来。首先，他们应该懂得什么叫成长。即使现在还不“完美”，但人由过去迈向未来，不断成长，并且终会逐渐接近完美。

明白这个哲理，人们也就有了宽容心；有了宽容，人们就可以发挥自己的长处，善待自己，不带任何偏见与人交往。这样，可以认识到自己的长处和短处，不走极端，从而取得平稳发展。

人不可能完美，但需要不断追求，不断接近完美。在追求的过程中，人们需要走出追求完美的误区，去善待他人，把平和、快乐传递给他人，给自己也给他人带来快乐的每一天。

乐于助人型："助人"不应过度

1. 基本特征

这种类型的人充满爱心，乐于向遇到困难的人伸出援助之手，随时准备帮助周围的人。一方面，他们拼命满足他人的要求；另一方面，他们并没有意识到自己也需要他人的帮助。他们直觉敏锐，能够与周围的人保持协调，对环境的适应能力很强。另外，他们擅长交际，具有与不同的人打交道的本事。当他们处在"帮助他人""忘我地照顾他人"的时候，会感到非常满足。为满足他人想拼命努力的此类人一心想表现得让人满意，所以十分在意别人的想法。他们有着使人快乐，使人充分发挥长处的能力。他们喜欢支持野心家，在遇到困难时，是理想的伙伴。

对他们来说，人际关系最为重要。为保持良好关系，即使自我牺牲也在所不惜。他们认为工作的成就感不是利益等实质性的东西，而是自己与他人相处的好坏。

通常，只要对人际关系感到满意，即使没有相应的利益回报，他们也会干劲十足。他们积极与人交流，使人感到心情舒畅，所以在单位里是模范。而且，他们具有吸引力，适应性强，有社交能力。此外，他们为人热情，儿童时代的他们，因为性情温顺，性格开朗，多受大人的疼爱。因此，他们非常了解自己何处令大人疼爱，从小就学会让人关爱。只要注意观察，即使对方的表情和行为没有显露，他们也能知道对方心底潜藏着什么愿望，能与他人站在同一立场。

他们常常关心别人需要什么，并希望谈论这类话题。他们有很深的同情心，总是向他人敞开心胸，讨厌争执，对他人充满圣人般的慈爱。虽然有时亲切过度，被人说成爱管闲事，但他们为人善良，值得尊敬。

2. 性格误区

助人为快乐之本，但如果“助人”过头，把自己束缚于别人的想法中，那就有违常理，说明你已走入了误区，此时便该注意了。

（1）不自觉地渴望得到关爱

满足他人的要求并非目的，此类人真正追求的是获得他人的友爱和好感，以及他人的特别理解。他们认为，要获得理解，就必须帮助别人。然而，他们并不清楚为什么需要友情和理解，这正是他们最大的“误区”。

这类人之所以乐于助人，是因为心中潜藏着让对方接受自己，并对自己表示感谢的渴望。因此，当奉献得不到相应的回报时，就会牢骚满腹。这是想获得感谢的真正愿望，与为了讨人喜欢而显示自我之间的冲突。最终，甚至陷入被对方控制、利用的受害意识中。本来是自己主动要为对方奉献，现在变成想要从束缚中挣脱出来。这种内在的矛盾常常让他们深感痛苦。

（2）迎合他人而失去自我

乐于助人型性格的人总想把能量都花在为他人奉献上，结果，弄得自己很累，疲于应付，却做出一副很乐而为之的样子。这种潜在的疲劳如果蓄积太多，会走向与平时完全相反的一面——不肯为别人做任何事。

另外，这种人往往过于复杂，总是处在有多个自我的意识中，因对象不同而改变自己的角色。面对不同的人，不同的性格爱好，为了迎合他人，讨人欢心，结果角色错位，弄不清自我的本来面目。随着自身融入周围人的要求，忘了自己的真实感情。

为了博得他人的欢心，一日数次改变自己，其结果却是失去了真正的自我。他们有时也会有欺骗他人的罪恶感。但同时，他们坚信对方，会更加拼命地讨他人喜欢，忘掉了自己的欲求。

这是很深刻的内部矛盾。他们总是希望被人接受，满心想获得他人赞同。在他们看来，不被接纳是最糟糕的事，于是总是迁就他人。但迁就别人，就无法展现真正的自我。到头来，被对方接受的并不是真正的自我。

（3）试图操纵他人

擅长吸引他人的此类型人有试图操纵对方的倾向，这是想得到“回报”的潜意识的表现。如果他是野心家，就会以有无交往价值来看待对方，对于“有价值”的人，他们会施展自己的能力，巧妙地利用。

他们崇拜有权力的人，认为顺从权力者，能够相应地提高自己。他们即使拥有领导者的才能，也更喜欢当幕后领导。他们不期待自己帮助的权力者的回报。但是，却希望所侍奉的权力者，得势后能够确保自身的安全，而使自己成为权力者中的一部分。不过，他们并不仅仅满足于得到权力和安全，友情的满足是他寻求的另一个目的。

人们需要为人亲切温和、事无巨细、为他人尽力。同时，也应摆正心态，在付出及回报间找到平衡，避免陷入此种误区。

追逐成功型：走出害怕失败的泥沼

1. 基本特征

这种类型的人总是在意效率，为了成功，即使牺牲自己的个人生活，也在所不惜。他们期待他人也能朝着自己所定下的目标大步向前，很会激发周围人的干劲。以成功或不成功为尺度衡量人生价值，属于重视成功的、精力充沛的人。为了给周围的人好印象，常常表现出很有自信的样子。当“成功了”“事情进展很顺利”的时候，会感到非常满足。

重视效率、追求成功的他们很善于表达自己的想法，他们的示范对周围的人也有激励作用，从而产生成就大事的能量。他们好学且上进心强，具有坚持不懈地探索新目标的能力。与他们在一起，会被其工作热情所感染，从而使组织内部自然而然地充满了活力。

他们在工作开始前，就备好“怎样能完成工作”的方案，并让周围人都理解。他们对方案细节不做过多解释，着重说明如何才能激发工作热情。周围的人听了，就会自然地觉得这个工作非常有魅力。他们有把组织的力量调动到工作目标上的领导才能。

这类人对于儿童时代的回忆，总是“学习成绩好，因为听话而被夸奖”之类的故事。由于有这些成功的体验，他们可以撇开个人的感情，而将注意力集中于如何获得大人的爱。为了得到肯定的评价，不惜付出任何努力。他们主动要求担任领导的角色，专注于如何获胜，相信只有成功才能获得爱。

2. 性格误区

追求成功是每个人所乐道的，但取得成功不是能强求的，这对于追逐成功型性格的人来说，便是需要加强对自我的认识，以免陷入自己性格的误区。

对他们来说，重要的是成绩和能力，而不是自己的感情。这种对工作痴迷的价值观，便成了他们的“误区”。而且，由于这一“误区”，他们非常害怕失败，不愿涉足有可能失败的工作。对人生的态度是只考虑积极的一面，而不考虑消极的方面。

（1）扮演幸福和快乐

他们虽然很难忍受没有前途的位置，但即使运气不佳，也会表现出获得赞赏的样子，尽可能扮演成功者的形象。而且，通过这种自我表现和演技，他们往往相信自己就是成功者。

因为有如此惊人的自我暗示能力，以至于他们在不同的组织里，能够饰演不同的理想角色。例如，与网球爱好者在一起的时候，他们就像个高超的网球运动员；和聪明人在一起时，他们会表现得像个勤奋的聪明人。把他人形象和自己混为一体，所以这就成了无意识的自我欺骗。他们扮演受人尊敬的形象，不仅欺骗了他人，而且连自己也骗了。由于有这样的能力，这类人总是演绎着乐观而幸福的角色。除非遇到巨大的考验，否则他们不会关注烦恼等消极因素，也绝不会和自己的内心进行对话。

对他们而言，最重要的是工作。为了完成得出色，他们全力以赴。他们想通过工作得到地位和收入等可见的回报。不管工作本身多么无聊，商品本身的价值多低，只要回报很高，他们就会倾注热情。

（2）担心失败而过分表现自我

他们只要有什么新想法，就会立刻付诸行动。这样的行动力是他们自身的能量所赐，起到了消除忧郁的作用。他们之所以埋头工作，四处活动，乃是防止回首人生时，因碌碌无为而陷入情绪低落的回忆。他们的日程表总是排得满满的，工作以外的时间，会被旅行、运动等活动填满。什么也不做的空闲时间对他们来说，不仅非常不健全，甚至还是一种恐怖。

他们认为，因家庭生活等矛盾而影响到自己的行为是愚蠢的。他们中许多都是工作狂，不太重视家庭和恋人，即使与家人和恋人待在一起，也不会轻轻松松的，他们会想出去运动或旅行等。也就是说，他们不重视内心的交流，认为通过外在的行为才能表达自己的爱情。因为不想降低工作效率，他们不喜欢伴随各种矛盾的恋爱和家庭生活，喜欢平静的、没有纠纷的恋爱和婚姻。

他们有着很强的行动力，但弊端却显而易见，即轻视只有靠深思熟虑才能得到的创造性，而且，他们认为效率比什么都重要。

（3）外强中干

他们自视极高，这是他们通过自己的成绩和荣誉等实实在在的东西构筑起来的，和真正的自恋者无论在什么情况下一点都碰不得的自爱心不同。他们一旦失去成绩或地位，自尊心就会受到严重伤害。所以他们常常担心因为懈怠而失去原有的地位。他们极力回避有可能失败的工作，执着于稳操胜券的工作，因为心中的不安要他们远离自尊心受损的可能。

为了获得最大的成功，他们重视效率，非常厌恶工作能力差、多思而不实干的人。他们讨厌有可能会导致自己失败的部下，希望用部下的才能来促使自己走向成功。

为了工作，他们不惜牺牲个人生活，还要求周围的人也同样做。他们希望能按照自己所想发挥高效率。要让他们认识到工作是人生的一部分是件非常困难的事。

他们在工作中遇到失败时，不会简单地承认自己的过错。即使明显失败了，他们或视而不见，或把失败看作部分成功，或进行诡辩，把责任推卸给他人。如果接下来又有了新的目标，他们会很快调整情绪，从上一次失败中站立起来。只要未来有希望，他们可以无视任何负面的东西。

陷入误区的他们经常为好形象而发愁，因此，树立好形象也成了他们前进的动力。由于一门心思想扮演受人注目的角色，他们不能认识内在的自己。如果在工作上未能获得预期的成绩及周围人的好评，他们会感到现实的自己与追求的理想形象之间有落差。当落差大到再也不能视而不见的时候，他们会感到非常痛苦。

对于追逐成功型性格的人来说，对自己进行再认识并对自己的追求重新进行合理规划非常重要，只有这样，才有助于走出误区并避免在以后的前进道路中再次陷入误区。

与众不同型：别让优越感太强烈

1. 基本特征

这种类型的人自豪地认为自己是特别的人，最重视感情，讨厌平凡。他们认为自己比他人更能深深地体会悲伤和孤独，喜欢关心别人，鼓励他人。从言谈举止到接人待物，都给人一种清高、表现力丰富的印象。当处在“自己是特殊的存在”“独一无二”“沉浸在感动之中”时，会感到非常满足。

他们表现出高尚的趣味和优雅的姿态，他们大多具有神秘的迷人品格，让人信任。他们富于形象表现力，极富创造力的姿态给人以良好的刺激。他们的审美观、高尚的趣味和优雅的姿态是他人所羡慕的。

2. 性格误区

伟大是每个人所追求的，但伟大注定只属于少数幸运者。现实生活中，总有这么一群人，他们渴望与众不同，渴望挑战……但却常常步入一种自我渴望的误区而不能自拔！

（1）自以为优越和特殊

此种类型人的“误区”是总要避免平凡。因为自以为与众不同，所以在谈及自己的人生时，总想表现出如何与众不同。当被他人称作有个性时，他们常常会喜形于色。即使在与朋友交往时，也会给人一种充满优越、高人一头的印象。

他们认为周围的人难以理解自己，所以不愿让人了解其内心世界。

他们不时摆出一副优越的姿态，自认为别人难以理解自己，这都源于他们自认为自己所经历的痛苦和孤独是他人绝不可能理解的。

自以为优越和特殊的“误区”，其实是自卑的另一面，他们总感渺小的自己时常缺乏自信。培养高尚的趣味、树立具有戏剧性的印象以及艺术性的表现等，都是为了恢复自尊心所做的扎扎实实的努力。稍稍碰到一点不顺心的事，他们就会有失落感，总想寻找人生的安全港。

另一方面，对于伤害自己自尊心的人，他们在思想上与其彻底决裂。但既不会不理睬对方、口出恶言，也不会进行报复，而是装作若无其事的样子与对方交往，但在内心里鄙视对方。这种行为可以说是他们自卑的产物，以及试图维护自尊心的表现。

（2）渴望感动但又多愁善感

他们时常处于烦恼之中，由于他们富于同情心，所以和其他有烦恼的人能合得来，能了解他人微妙的情感。他们喜欢帮助有烦恼的人，直到对方完全摆脱烦恼的纠缠。他们渴望被感动，无论是喜、是怒、是哀、是乐，当他们强烈地感受到时，才能体会到人生的意义。

他们容易陷入忧郁状态，他们用活跃的表现以求摆脱忧郁。对他们而言，体验忧郁才能探索人性的奥秘。也有不少人通过体验忧郁来逃避由失落感和苦恼带来的压力。

（3）不满足于现实

他们不论目前处于何种状况，都深信真正的人生还没有开始。哪怕已经成果丰硕、功成名就，他们的注意力仍然朝向生活中失落的、不完美的部分，始终不满足于现状。如果从事自己感到有意义的工作，他们就想成为工作上的佼佼者，成了佼佼者后又想要得到爱情，得到爱情后又会去寻求孤独。他们认为现实既乏味又无价值，因而无法接受。

为了承受这个既乏味又无价值的现实，他们离不开感情的起伏。不论好坏，只有体会到感情的起伏，他们才能感受到远胜过舒适和幸福的真正的人生滋味，才能确认自己是与众不同的。在别人看来，他们更像戏剧中的主人公。哪怕扮演饱受痛苦的角色，他们也会感到幸福，因为只有这样，他们才能摆脱平庸的人生，发挥自己的独特性。

嫉妒更促使他们去追求没有得到的东西，强烈的嫉妒心使他们不怕障碍、勇往直前，倾注大量的精力和时间，去追求想要的东西。然而，一旦目的达到，他们又会从中找缺点，兴趣又转向“还没有到手的东西”。如此不断循环。他们憧憬能够不做作地、自然地表现自我，但是又意识到自己在演戏。他们通常事先独自排练之后才在别人面前表露自己，而且往往表现得有些夸张。他们在日常生活中总是想着怎样才能表现感动，怎样才能使自己显得与众不同。

（4）追寻失去的事物而陷于内心矛盾

感受力强的他们能很快理解他人的情感，并不知不觉地与其保持一致，有时甚至分不清是自己还是他人的情感。他们能够准确地理解同事或家人的心情，由此适时地把握表达爱情或推心置腹谈话的时机。

他们当中有不少人同时做两份工作，一份是为了维持生计，一份是为了满足自己物质世界以外的“另一个世界”。他们深信只要依据个人经验，掌握将内心深层的想法适当地表现出来的方法，就可以找到“真正的自我”。基于此，他们痴迷与众不同。如果这一倾向太强，会使其与周围隔绝，从而无法过上充实的生活。

人生本来就是平凡的，但是他们却厌恶平凡也不甘平凡。为了与众不同，他们比常人做得更多。他们追求不同寻常的刺激，喜欢冒险，不满足于按部就班的日常生活。由于追求冒险和刺激，其生活态度便成了逃避现实。因为人与人之间的密切联系或精神纽带关系，虽然可以加深体味人生的意义，但人际关系本身未必能给人带来感动。追求刺激，忽视平凡的交往，会使自己陷入孤立而寂寞的境地。

这种境地是很无奈的处境，本想不平凡而有作为的他们陷入了极度迷茫的深渊。这一切都是陷入性格误区所造成的，要避免落入这一陷阱，他们需要在发挥自己特长的同时，谦虚地甘于平凡，从而取得人生的平衡。

渴求知识型：不要走入思考的误区

1. 基本特征

这种类型的人喜欢吸收知识，想当一个聪明人。有很强的分析能力和洞察能力，喜欢自始至终当一个客观的旁观者，虽然长于观察，但说话不多，显得内向。他们厌恶愚笨的表现。在开始工作或陈述意见前，会细致地收集信息，试图把握一切。此外，喜欢独处，很珍惜自己的时间。如果成为“有智慧”“聪明”“无所不知”的人，会感到极大的满足。

他们具有与自己的感情保持适当距离的才能，总是能冷静地考虑问题。即使面临压力，思考能力也不会下降，能够对事物做出准确的判断。他们理解力强，能够洞悉他人言语背后的深意和各种事情的真相。他们的魅力不仅表现在语言上，还表现在擅长以动作和表情等来表现爱。

他们有责任感，忠于职守，安于本分，非但不会侵犯他人，反而会给对方合适的建议。他们不喜欢评论他人，对于对方的错误，会用委婉的方式予以指出，这是考虑问题比较全面的表现。他们外表文静，却常会用与其外表迥异的幽默来调和周围气氛。

2. 性格误区

人离开了思考，无异成了“木头人”。然而，生活中却有很多另一类型的“木头人”，他们便是走入思考误区的渴求知识型性格的人。

（1）喜好孤独，与情感保持距离

对这类型人来说，自己的判断力和思考力会因为周围人的影响受到干扰，这种状态很不好。他们不善于在别人面前表现真正的自我，喜欢一人独处。如果隐私受到侵害，将难以忍受。他们喜欢在空想中遨游，整理心中杂事，反省自身。他们中的大多数人之所以这样，绝不是讨厌与人交往。因为在他们看来，比起与人接触时的距离感，事后独自慢慢咀嚼与他人的对话或发生的事件，会让他们觉得与人的距离更近。他们认为，维系人与人的关系，没有必要频频接触，在短短的接触后，即使一人独处，也会想起对方，回味其中情趣。

他们可能在孩提时，由于有缺乏家庭温暖的寂寞，或事事遭到干涉的郁闷，品尝过感情饥渴和不安，因此总想回避涉及感情的事情。对他们来说，躲避感情的最好方法就是不要直接面对内心。久而久之，即使和想敲开自己心扉的人交往，也能不为所动。

在人际关系上，这类人更有非常特殊的特点。

首先是消极与孤僻。在试图扭转不利局面时，当有人不按章法乱来时，他们不会去改变对方，自身也不做任何反应。他们认为避免卷入感情纠纷的最好方法是：无所求。

但是，他们并没有意识到自己不重感情，当听到周围人说自己“没有激情”时，会感到很意外。他们一点也没有觉察到自己有这种特性。

在周围人的眼中他们是寂寞孤立的一群。但他们却认为人最有活力的时候，就是一人独处之际。在闲暇时间里，他们脑海里充满了快乐的空想和有趣的问题。即使独处，也不会感到无聊。

（2）热衷于知识，不谙人事

这类人在做某件事前，总设法搜集所有信息，以便能及时应变。一旦发生预料之外的事情，他们便陷于措手不及中。只要发生的事不超出预想的范畴，他们一般都能比较冷静地处理。事前知道在会议等场合该说什么、说几个小时，这对他们来说非常重要。只要事前了解发言的主题和时间长短、做好充分准备，他们就能表现得很出色。在这个意义上，他们往往被认为具有社交能力。但前提是必须事先打好腹稿。独立性强是他们的另一大特点，不会刻意去博取他人的好感。他们喜欢自由的处境，尤其是经济上的独立。首先，他们害怕空虚，认为过强的物质欲望容易加深内心的空虚。因此，他们的自立是以淡泊于金钱和物质的“清贫思想”为基础的。其次，他们不愿意因过分依靠别人而导致他人侵入和扰乱自己的内心世界。他们认为，金钱能用来保护个人隐私、获得良好环境和自由支配的时间，除此之外，不愿付出更多。

相反，这类人不惜付出时间和精力来充实自我。他们孜孜以求的既不是人也不是物，而是知识。对于他们，唯有知识才能填补空虚。

寻求安全型：谨慎过头的危害

1. 基本特征

此种类型的人有很强的两面性，一方面是寻求强有力的保护人，对于这个保护人忠心耿耿，尽责尽力；另一方面，反抗不能接受的权力，倾听弱者的意见，即使没有胜算，也敢于进行挑战。他们能从对方的一言一行中洞悉对方的真实意图，只要能建立信任关系，就会表现出深情温柔一面。对被人誉为“忠实”“诚实”感到满足。另一方面，对于被称为“率直”“不服从社会规范”“勇于面对危险”也会感到满足。

这类人出于使命感或对他人的责任感，哪怕牺牲自我也在所不惜。他们不大在意眼前的成功或名誉，相反，为了自己所抱的理想不惜付出全力，不求回报地孜孜努力。由于他们具有敏锐地洞察他人内心深处的能力，又能对弱者的处境产生同情，所以，他们在合适的环境中往往给人以善良、深情、乐于助人的印象。只要遇到值得信赖的伙伴，哪怕吃亏，他们也会为了自认有价值的东西勇敢地一决胜负。

2. 性格误区

谨慎的态度历来受到推崇，“安全第一”更是根本问题，但若谨慎过头，退缩不前，那也是走入了另一种误区。

（1）怀疑权力而产生的两面性

这类人总是内心隐藏着恐惧，不断地寻求安全。他们的误区表现为两种截然不同的类型：一种是恐惧型，另一种是对抗恐惧型。偏向于恐惧型的就显得疑心重重，看起来十分害怕。他们遇到任何场面都不知所措，总是试图以分析来取代行动。对矛盾、怀疑等不利于自己的否定性因素特别敏感，却不善于采取行动。为了获得安全，他们往往寻求拥有权力的人，并对他们效忠。

相反，对抗恐惧型往往以克服恐惧来寻求安全。比如，当受到暴力威胁而感到害怕时，就会去学功夫，成为所向无敌的强手。他们往往同情弱者或遇到困难的人，甚至主动去帮助弱势的一方。对他们而言，重要的不是谁强谁弱，而是谁敌谁友。一旦认准了敌友，他们会为朋友两肋插刀。

（2）事事寻求公正

一方面，他们对能保护自己、使自己摆脱恐惧的权力者特别依赖；另一方面，他们对于攻击自己弱点的权力者却十分反感。

他们以是否公平来判断某种权力是否正当，以及权力的行使是否正确。如果权力被正确行使的话，他们会表现出恐惧型的一面，即对权力尽忠。反之，则会表现出对抗恐惧型的一面，挺身对抗权力。

他们认为对自己所有的诺言都必须一一执行，无论发生何种变化，他们都会固守诺言。对此类人而言，最重要的诺言就是法律。由于过分拘泥于法律条文，他们往往给人以官僚主义者、死脑筋的印象。

他们自认为能透过表面看清事物的真相。由于害怕被人利用，他们时时谨防花言巧语，对温柔的对手更是警觉。他们总是仔细观察对方，试图摸透对方的心思，巧妙地指出对方的矛盾之处。

（3）不关心自己的内心状态，缺乏行动力

擅长洞察他人内心的他们，却不了解自己的内心世界。他们的注意力是朝向外部世界的。当受到威胁时，这种倾向会更加明显。他们往往把自身受到的威胁归因于他人的恶意。

通常这种人不善于用语言来表达感受，在不得不表达时，往往缺乏逻辑并带有攻击性。他们生怕由此而破坏人际关系，即使对自己讨厌的人，也会表现得温文尔雅，言听计从。

因为害怕按照自己的意志行事，所以他们大多缺乏行动实施的能力。例如，当他们想要实行某项计划时，内心会同时出现两个声音："这是个绝好的主意。""但是，真的能行吗？"结果拖拖拉拉，总是光想不做。之所以这样，是因为他们确信有失败的危险性，同时又害怕一旦成功会遭到他人嫉妒及恶意的伤害。

更甚的是，他们并没有意识到自己在拖延。他们觉得这是行动之前必不可少的准备，认为做任何事都必须先倾听正反两方面的意见。在周围的人眼中，他们太多虑了。但他们自有主见，他们认为没有正确的意见就难以驳倒反对意见，认为透彻的分析能力比行动能力重要得多，所以工作往往一拖再拖，有些计划甚至半途而废。

（4）充满想象力，消极地看世界

他们的上述特点使他们具有丰富的想象力。但是，这往往来自对社会的受害妄想。这种消极的想象力总是使他们设想最坏的结果，根本不愿去想好的一面，就确信"最糟糕的事将要发生”。他们认为，只看光明的一面是幼稚的、缺乏现实性的。

一个总是想象最糟糕事情的悲观论者是难以体验快乐的。这类人在制订计划时能够描绘美好的未来，但最后终究会拒绝娱乐和享受，他们中的很多人相信“先甜后苦”。

常常怀有恐惧心的他们，为“安全”的观念所束缚。他们觉得自己的安全受到威胁，因此谨慎小心，疑神疑鬼。一旦陷入寻求安全的陷阱里，自己既不能做出判断，也不能采取行动，明知面前是牢固的石桥，也不敢过桥。碰到大事，他们感到恐惧，不敢承担。

恐惧型的人，要依附强有力的人，遵守法律和规则，恪尽职守，竭尽忠诚。而对抗恐惧型的人，对于不正义的权力则进行反抗。这两者都是为寻求安全而采取行动。凡是对自己的工作或生活提出的忠告，他们都视为对自己的攻击，所以他们需要确立对外部世界的信赖。其实，社会并没想象的那么危险，必须认识到还有很多值得信赖的人存在。和值得信赖的人建立相互信赖的关系，并认识到他们能给自己带来幸福，就不会再去特意寻求安全。这样，无论做什么都会有更多的收获。

乐观开朗型：凡事不要太理想化

1. 基本特征

这种类型的人凡事皆持乐观态度，为人开朗，善于从身边寻找快乐。他们的周围有很多自己喜欢的人，本人也试图显示魅力。他们制订一个又一个快乐的计划，提出新的构想，好奇心强，富于想象力。当觉得“很快乐”“愉快极了”“有很多计划”的时候，会感到非常满足。

富有创造热情和进取精神的人，在单位里因点子多和人际关系好而十分活跃。因为他们注重事物的积极面，能够提出新计划，鼓舞周围人的干劲，营造出轻松愉快的工作气氛。

这类人善于分享人生的快乐，即使陷入苦恼，也会苦中求乐。他们总是追求快乐，哪怕没有回报，只要能感受到快乐，就会投入满腔热情。他们精神状态良好，喜欢见到每一个人，希望给每个人都带来幸福。

此外，此类人还善于逻辑分析，从一个法则中推导出新概念，从互相对立的概念中找出共同点。他们常常根据理论逻辑，提出具有独创性的建议。

2. 性格误区

以往的教育体制总是努力把人培育成乐观开朗者，然而，它忽略了错误的理想乐观。乐观开朗型是存在许多误区的，主要表现在以下几个方面：

（1）做事不能专心

他们不论在工作上，还是在生活中，都有很多快乐的计划，而且喜欢多项同时进行，不喜欢专心做一件事。

第一个原因是，如果专心做一件事，一旦失去兴趣，就没有了快乐。他们不希望没有快乐，若能确保同时有许多乐趣，就不担心失败，或工作徘徊不前。对他们来说，与其执着于一点，从中获得满足，不如多项齐头并进，一点一点地去获取快乐。

第二个原因是，如果专心做一件事，会发现自身能力的不足，他们想避免这种情况，因为他们有强烈的自恋倾向，坚信自己是优秀的，不愿承认自己不行。如果同时干几件事，就不会感到自己的能力不足。反之，有可能遇到很大的挫折。

看上去，他们所做的事东一件，西一件，互不相关。但对他们来说，互相之间都是有联系的。倘若做很多有趣的事，能量固然会不断激发，但做得太多，也会把自己搞得很疲惫。

因为每天都过得很充实，他们与意气消沉无缘。重要的是保持轻松愉快，在感到疲劳、压力、百无聊赖之前，要着手干另一件事。他们喜欢同时做三四件事，只要有趣，干多长时间都不在乎。对于周围有趣的事，他们都会参与，准备了很多选择的可能性。而长时间地盯着一件事做，无异于扼杀了自己无限的可能性。

他们所追求的事物具有强烈的刺激性。他们渴望兴奋，喜欢冒险和思想上的碰撞。根本来说，这些行为是他们寻求知识和创造性的原动力，而其目的则要“逃避痛苦”。做快乐的事，没有痛苦。很多时候，人们认为这是他们的优点，但如果总是逃避痛苦，他们将无法从痛苦和挫折中学到很多东西。

（2）追求自我完美，忽略他人情感

他们有薄情的一面，即使和别人在一起，关注的也不是对方，而是“让自己度过的时光更快乐”。他们喜欢与众人同享快乐，不喜欢与一个人深交。但这种追求快乐的热情，易使对方误以为是对自己的感情，进而对他们产生过多的期待。所以，他们容易给人留下“不专一”“撒谎”的印象。

他们精力充沛，总想参与竞争，并获得胜利。他们喜欢与人比较，经常自问自答：“我到底排名第几？”这种习惯是他们不断向上的源泉，能够提高其客观看待事物的能力。但是，他们给自己的答案总是“排名第一”。

不过，他们想参与的竞争，一定都是有趣的事。他们不想以胜利获取权力，而是希望被视为“了不起”。如果处于需要承担责任的位置上，他们不愿因此失去生活中的众多乐趣。要是因为升迁而被束缚，或者感到有与众人对立的危险，他们的上进心会立刻荡然无存。

（3）自恋自爱的乐观主义者

具有自恋倾向的他们，认为“自己是全能的”。他们不喜欢“干这一行，30 年了”之类专业上的赞誉，希望自己是“无所不能”的全才。他们自信“人们只有一个独特的才能，而我可是样样通”，并且认为自己的未来充满无限的可能性，没有全力以赴的必要。

为了验证这种强烈的自信，他们喜欢与肯定自己价值的人交往。当自己的能力得不到认可时，他们会把原因推给别人，寻找借口，认为即使碰到一件坏事，也不必过于在意，因为还有其他很多乐趣。

具有上述性格特征的他们，如果其周围各种烦心之事不断，屡受批评，他们的态度就会朝着乐观和开朗相反的方向转变。他们对于自己“厌恶”的事情不加掩饰，以批判的眼光审视周围，老盯着别人的缺点。一向不愿正视挫折、痛苦的他们，一旦陷入逆境，就很难找到摆脱困境的方法。

乐观主义的思考方式是他们创造力的源泉，是打破僵化的力量。但是，不愿面对痛苦、不预想坏的结果，则是他们的最大的弱点。

在工作不顺利的时候，他们压抑不住内心的不满，喜欢唠唠叨叨，常常采取挑衅的态度。

人生并不总是快乐的。如果总是追求快乐，生活会变得很随便，甚至原本可以做到的事情都做不到。不断追求快乐，将讨厌的事推给他人，人际关系当然不会好，会被人视为我行我素、不可靠以及游手好闲。

为了取得成功，此类型人就必须勇于面对苦难，唯其如此，才能脚踏实地做出很多成绩。

自我主张型：避免过盛的权力欲

1. 基本特征

这种类型的人只要认定自己是正确的，就会全力以赴地干某件事。他们有勇气，有力量，一眼就能识别错误、怠惰和虚荣心等，并且勇于向它们挑战，善于把握权力结构，善于保住发挥“长处”的位置，不拿架子，为人诚实，勇于保护弱者。当被人誉为“有本事”“做得到”“精力充沛”时，会感到非常满足。

他们都是非常强硬的人，随时准备与他人斗争，认为揭发他人不正当的行为和伪善行为是自己的使命。他们厌恶明哲保身的处世态度，诚实而开朗的性格使他们可以和任何人推心置腹。他们不畏艰难，敢于负责，是值得信赖的领导。他们也善于向周围人表明立场。

2. 性格误区

他们大都具有领袖气质，原本是一件很好的事情，但一旦出现性格偏差，此类型性格就一点好处都没有了。其主要误区表现在下面四个方面：

（1）追求权力和支配，掩饰自我虚弱

这种类型人的“误区”是权力欲和支配欲较强，并有隐藏自己弱点的倾向。他们强烈期望当领导，当别人服从自己时才感到安全。他们把自己看成保护者，挺身保护弱者，对抗一切不公正。对权力的渴求是他们成就大事业的力量源泉。

他们很早就形成了强者受尊敬、弱者遭轻视的价值观。他们由于害怕成为弱者而学会了保护自己的方法，且能轻易地察觉到他人的敌意。

他们对别人操纵权力和行使主导权十分警惕。认为对那些自以为是的人就应该毫不留情。他们讨厌被他人左右，希望把他人的影响降低到最小限度。这种类型的人总想了解周围人的一切信息，以便清除不良因素，把握局势。

（2）通过与人争斗，实现自我目标

别人很少从他们的脸上看到温柔的表情，这往往给人以严厉的印象。即使对自己喜欢的人，他们也不是通过柔和的语言，而是以行动保护对方来表达自己的情感。他们认为支撑爱情的是责任，爱情就是保护对方，让对方有安全感。他们觉得别人都很脆弱，容易上当受骗。

他们容易和人对抗，试图通过对抗来摸透对方的心思，认为这样能看清事实。

他们很关心对抗是否公平，欣赏那些受到攻击也不肯轻易改变意见的人，看不起逃避对抗的妥协分子。对他们而言，对抗是一种享受，而且更喜欢与“高手”对抗，不喜欢轻易获胜。面对强敌时，他们会感到力量倍增。对他们而言，公平的争斗是没有胜负的，赢了可以制服对方，固然值得高兴。即使输了，也会因为对手的强大而感到“输得值”，且很敬服对方。

（3）过于表现自己的强大

他们对权力保持高度警惕，之所以如此，是害怕自己已成为不公正权力的一分子。他们一进入新环境，立刻就能判断出谁有何种权限和权力，更能判断这个人是否公正，有多大能耐。他们通常会抓住对方的弱点，观察反应。他们能一眼发现别人的弱点，且总是设法向对方的弱处进攻。

他们对于暧昧、缺乏一贯性、指挥系统混乱十分敏感。喜欢"非黑即白"的态度。暧昧、缺乏一贯性的人和缺乏明确指挥系统的组织都会威胁他们的安全，其本身也很脆弱，所以是难以容忍的。相反，只要拒不妥协，保持一贯态度，哪怕是对抗的敌手，他们也会表示敬意。可敬的对手一旦做出妥协的姿态，敬意就会立即消失，而变成蔑视。因为不黑不白的状态是他们难以接受的。

他们喜欢处于领导、支配地位，周围的人处于服从地位，这样才觉得安全。因此，他们常常打破他人加在自己身上的规则，以表现自己的强大。他们讨厌行动受到限制，既想拥有建立规则的权力，也想拥有打破规则的权力。所以常常要求别人遵守规则，自己却频频违反规则。

盛气凌人的他们决不放过丝毫错误，害怕细小的疏忽导致事态恶化。所以，他们往往出人意料地发现细小的失误。

（4）对自己内心的愿望浑然不觉

他们认为自己的一言一行都是光明正大的，往往会直截了当地告诉别人自己希望得到什么。可是，因为他们不愿意正视自己的内心，所以不善于表达真正的愿望。他们时刻关注外部世界，捍卫正义、寻找攻击对象。这是因为他们害怕审视内心，担心发现自己和他人一样卑怯、脆弱。他们认为自我质疑、探寻自己真正的愿望是一种妥协，所以从不对自己质疑。

他们似乎总是在寻求发怒的对象，只要一发火，就不会怀疑自己懦弱，或不会被所信赖的人背叛，他们的恐惧就会立即消失，一瞬间变得强大无比。他们最大的特点是不加掩饰地表达愤怒，为自己直言不讳的态度而自豪。但是，如果因发怒而失去朋友，他们又会陷入自我厌恶。他们认为，自己的坚强理应受到尊敬，如果适得其反，他们会十分惊慌。

他们的另一个缺点是易走极端，往往过分依赖药物、酒精等，有自我毁灭的倾向，喜欢彻夜狂欢，不玩到东倒西歪不肯罢休。但是，过分寻求刺激，反过来又削弱了他们审视自己内心世界的能力。虽然从消耗精力中感到充实，但实际上是为了麻痹自己。

有实力，有号召力的他们，容易给周围的人以恐怖、严厉的印象，自己认为正确的，就会立刻付诸行动，有成为支配"暴君"的危险。在他们眼中，任何地方都存在不公正，认为消除不公正是自己的使命，而且确信唯有自己才能判断是非。所以他们经常批评他人，听不进不同意见。由于他们事事要高人一头，摆出一副挑战和不胜不休的架子，造成了许多不必要的矛盾冲突。

要想走出以上的种种误区，他们必须培养爱心。所谓爱心，是指不要为自己的价值观和善恶观所左右，包容和宽容他人。此外，他们还需牢记的是，暴露自己的弱点并不是有损尊严的事情，只有承认自己的弱点的人，才是真正的强者。

协调平衡型：一味回避矛盾不可取

1. 基本特征

此种类型的人是个回避矛盾和紧张的和平主义者，不喜欢自己的内心被外界扰乱，习惯附和他人，很容易受到周围人的影响。如果环境好的话，他们会心胸开阔，不为外物所动，很有耐心，没有偏见，能够体谅他人的心情，擅长倾听他人的烦恼。当被评价为“平静沉稳”“善于调和”时，会感到非常满足。

他们非常重视人际关系的和谐。不管对方有什么烦恼，他们都会耐心倾听，并表示很能理解对方的难处。他们对于把自己的意见强加于人、发挥影响力等没有兴趣。能不带偏见包容他人，能够一下知道对方想做什么，往往把他人的愿望放在第一位，将自己的意见放在次要位置。他们做事慢条斯理，言语温和亲切，让周围的人很放心。

如果遇到意见对立，他们会听取双方的意见，让对方坐下来平心静气地说。为了公平合理地解决矛盾，他们愿意耐心地进行调停。

2. 性格误区

任何事物都有好与不好两个方面，性格亦然，协调平衡型性格的误区，主要体现在以下四个方面：

（1）为避免冲突而优柔寡断

他们不善分清事情的轻重缓急，即使有些事必须马上做，他们也会先做一些无关紧要的事。只要有时间，他们会一直拖下去。

（2）努力迎合他人的意见

他们能够忘却自己，很容易迎合他人的意见，把他人的事当成自己的来做。当决定是否要做一件新的事情时，他们会犹豫不决，结果往往随波逐流。如果干了一半，发现不对劲，也不会说什么。

因为容易接受对方的观点，不管是谁，他们都会看到其优点。由于什么事都有正反两面，所以他们难以决定自己的态度。因为能够急他人所急，他们知道有些时候必须自己做决定。当遇到压力的时候，他们会决定接受对方的意见或加以拒绝。拒绝的时候，他们不做任何反应，而是被动等待问题解决。因为，如果明确表示意见，可能会受别人的蔑视和批判，他们认为不表示意见是最安全的做法。遇到两难选择的时候，他们对双方都表示理解，更加无法决定立场，于是尽量不作声。

（3）一旦决定便难更改

他们都很顽固。尽管他们迟迟不做决定，旁人却也没有办法。越向他们施压，他们越顽固，越不表态。他们认为这是对别人不理解和不倾听自己意见的一种抗议。在必须决断又难以决断的时候，他们会做出“表面迎合”的“决断”。

一旦做出决断，他们就会顽固地坚持不变。这不是因为坚信决定正确，而是因为原本就不愿意做决定，只是迫于周围的压力而不得不为之。出于对自己的怯懦的不满，他们表现出一副强硬的样子。可见他们虽然同意任何意见，却不愿涉足其中，这种性格特征使他们适合担当公平的仲裁者和调停者的角色。

他们迟迟难做决定的另一个原因是出于“对付出的恐惧”，他们获得的总比付出的要多。他们清楚地记着往事，拘泥于过去，对于目前的情况反而不大在意。其表现之一就是喜欢收集，从古董到玩具，他们都收集。尽管说不上很重要，但使他们感到充实。

他们喜好收藏、不愿扔东西、分不清轻重缓急，都说明他们不懂选择。因为心中有许多没有决定、没有处理好的事情，他们很难改变自己，只是在因循守旧。

他们不喜欢内心出现矛盾，很少学习新知识、新技术，他们认为新东西会给人带来内心的不平静。此外，由于在工作上没有明确的目标，不能朝一个方向坚持不懈地走下去。生活上也没有刻意追求，一切顺其自然。为了消解做决断的不安，他们认为最好就是养成一贯为之的生活习惯。什么也不想，也不操心，按照“惰性”来做事就行了。

然而，如果工作没有明确的目标，很容易养成懒惰的习惯。他们喜欢靠在沙发上优哉游哉的生活方式。甚至他们还通过药物或酒，试图忘记自我。

（4）不能善待自己

他们虽然性情温和，但也有发火的时候。他们发火的时候，是郁积在心中的怒火已到了无法忍耐的极限。他们表现出一副顽固僵硬的姿态，甩手不干，这是愤怒的间接表现。出于同样的理由，他们也会逼着对方先发火。他们了解人的愿望，可以用消极的方式，让对方感到烦躁，进而发怒。

当心中郁积了怒火的时候，他们就一定不会顺着对方。他们在直接发泄后，有一种“如释重负”的感觉。

规避矛盾，追求平和的他们，如果走得太远，就会变得得过且过，该自己发表意见时，也不愿讲清楚，任由他人决定。这样，周围的人不知道他们到底在想什么，有可能造成各种各样的问题。

他们的上述毛病源于自卑感，他们似乎认为自己不重要，有没有无所谓。不能善待自己，没有自信，靠他人推着走，这是由自卑感产生的怠惰所致。

因此，他们应认识到自己是值得珍爱的。唯其如此，才能敞开心扉，积极与他人交往。他们应该正确认识矛盾是无法避免的。这样，即使产生矛盾，或者伤害到他人，该说的事情也能明确地说出来了。

第三章

自我优化：克服性格的弱点

性格塑造，不断进行自我完善

人的一生是自我塑造的一生，自我完善的一生：性格塑造的重要目的就是要克服不良性格，实现性格优化。

1. 性格需要千锤百炼

自然状态的铁矿石几乎毫无用处，但是，如果把它放进熔炉铸造，然后进一步提纯，再进行锤炼和高温锻冶。最后，它就可以制成优良的器具。正是这种烈火焚烧、反复锤炼的过程，赋予了自然状态的铁矿石以实用的价值。

良好的性格，就像红宝石一样。红宝石的光芒，来自于千锤百炼的打磨，而良好性格则来自于后天的自我塑造。

性格的自我塑造，是指个人为了培养优良性格而进行的自觉的性格转化和行为控制的活动。自我修养在个人性格的发展过程中起着很大的作用，既是教育的补充力量，也是良好性格的发展方向。玉不琢，不成器，一个人的性格，不经过认真的自我塑造，不可能达到优良高尚的境界。

每年 12 月 1 日，纽约洛克菲勒中心前面的广场，都会举办一个为圣诞树点灯的仪式。硕大的圣诞树无比完美，据说是从宾夕法尼亚州的千万棵巨大的杉树中挑选出来的。

一位画家，深深地被圣诞树的完美吸引了，他带领着自己所有的学生去写生。

“老师，你以为那巨大的圣诞树真的那样完美吗？”一个女学生神秘地笑道。

画家很奇怪："千挑万选，还能不完美吗？"

"多好的树都有缺陷，都会缺枝子、少叶子。我丈夫在那里当木工，是他用其他枝子补上去，这棵圣诞树才能这样完美啊！"

画家恍然大悟：一切完美都源自修补。世上的每个人无论他多伟大，多有名，都不过是那样一棵需要不断修补的树。

同样，任何性格，都是在不断地修补中才日臻完美；任何人，都是在不断地打磨中，才修炼成才的。

> 著名科学家富兰克林早在年轻的时候就下决心克服一切坏的性格倾向、习惯，拒绝伙伴的引诱。为此，他给自己订立了一个包括 13 个项目在内的性格修养计划：节制、静默、守秩序、果断、俭约、勤勉、真诚、公平、稳健、整洁、宁静、坚贞和谦逊。同时，为了监督自己逐条执行这些项目，他把这 13 项内容记录在小本子上，并画出相应空格，每晚都做一番自省，如果白天犯了某种过失，就在相应的空格里记上一个黑点。

就这样，富兰克林持之以恒，通过长年累月的自我反省，终于让这些表示性格缺陷的黑点符号逐渐消失了。富兰克林晚年撰写自传时，还特别谈起青年时代为培养良好性格所做的努力，认为自己的成绩应当归功于自我节制。

富兰克林之所以能用 13 项内容锤炼自己，缘于一位以严格要求和博学多才而闻名的编辑——弗恩。富兰克林每次向他交稿时，弗恩总是一句话："如果你对某一个字的写法没把握，就查字典。"同时，他规定富兰克林每天写一篇文章交给他。如果哪天没有交，弗恩就敲着桌子说："文章呢？"这样，在日积月累的岁月中，富兰克林的文章大有长进。

后来，弗恩去世了，富兰克林整理弗恩的遗稿时，看到了这样一段话："我不是你心目中的那个人。我并不懂写作。你让我教你，我尽量去做，其实多数时候是你自己打磨自己。"富兰克林终于明白：自己的写作才能，其实就是自己在一天一篇文章的积累中打磨出来的。

以后，富兰克林一直以敬畏的心情，按照弗恩的严格要求，不断磨砺自己，终于形成了良好的性格，也在写作上取得了很大成就。

人生最重要的就是自己打磨自己，只有不停地自己磨砺自己，不停地给自己淬火，不停地在勤奋的熊熊炉火中锻打锤炼，自己的性格才会锋锐明亮起来，并最终放射出夺目的光芒。

2. 性格优化与自我修养

可以说，没有一个人不盼望自己的性格得到优化。而优化性格的基本途径，就是及早进行性格的自我修养，把握性格发展的方向。

人们性格成熟的进度，往往是同性格修养的认真程度成正比的。性格的自我修养进行得越认真，性格成熟也就越快。这可以从杰出人物优良性格的形成过程中找到证明。

大凡在历史上很有作为的杰出人物，他们的性格都有许多优点。他们的优良性格是天然生就、自生自长起来的吗？当然不是。伟人也罢，庸人也罢，童年时期性格都是幼稚脆弱的。每个人，不管长大以后性格多么坚强，取得了多么伟大的成就，受到了多么热烈的推崇，但是在他孩提时候，他的性格必定是孩子式的、不稳定的。这些杰出人物的优良性格，主要是他们在后天实践活动过程中，不断地进行自我修养的结果。孔子也不相信自己是“天生圣人”。他说：“吾十有五而志于学，三十而立，四十而不惑，五十而知天命，六十而耳顺，七十而从心所欲不逾矩。”俄罗斯大文学家列夫·托尔斯泰青年时期，就开始为自己拟定“意志发展的规则”。开始是规定生活制度方面的要求，如什么时候起身、睡觉，吃什么，等等。后来，直接的意志训练内容在这个规则中占了主要地位，如“集中全力去做一件事情”“尽力而为”“只有在必要的情况下，一件事情没有结束，才着手做其他的事情”“在从事一切工作前，要考虑它的目的”，等等。俄罗斯著名教育家乌申斯基青年时期，也十分重视从行为规则入手控制和培养性格。他为自己定过以下规则：

绝对的平静，至少，表面上绝对的平静。

在言行方面老老实实。

行动时要深思熟虑。

果断。

不讲一句不必要的话。

不无意识地浪费时间，只做那些应该做的事，而不是偶然想到的事。

只把金钱花在必要的地方，而不花费在不必要的欲望方面。

每天晚上诚实地检查自己的行为。

从不夸张过去、现在所做的事情和将来要做的事情。

他的坚定沉着、冷静自持等优良性格，就是这样一点一滴培养起来的。

一个人的性格，不经过认真的自我修养，不可能自然而然地达到优良高尚的境界。人类一方面贵为“万物之灵”，是大自然的最高主宰者；另一方面，人类也是有弱点的。自私、妒忌、虚荣，在有人群的地方都存在。19世纪墨西哥版画家阿·波萨特，创作过一幅题为《七种不应有的恶习》的版画，画面上有七只魔鬼般的动物，张牙舞爪地扑向一个人。这七只动物分别代表懒惰、妒忌、谗言、骄傲、酗酒、发怒、吝啬七种恶习。其实，人类常见的恶习还不止这些，常见的还有愚昧、粗心、粗鲁、懈怠、轻佻、胆怯等不良性格。若再加上贪婪的欲望和利己心的驱使，还有可能发展为诡诈、狡猾、刻毒、阴险、残忍，等等。

所有这些卑下的东西，确实像魔鬼一样扑向我们，人就是在同这些卑下情操的斗争中成长起来的。谁忽视这种斗争，谁就有可能被这些恶魔征服。而自我教育、自我修养，就是抵御这些恶魔的有效武器。

掌握技巧，优化性格的原则与方法

性格改造或者说优化性格的目的，就是克服性格缺陷，实现不良性格向优良性格的转化。要做到这种转化不是一件容易的事情，它需要一个长期努力的过程，以及恰当的改造原则和方法。

性格是一个人对现实的一贯态度和在习惯化了的行为方式中所表现出来的个性心理特征。诚实或虚伪、勇敢或怯懦、勤劳或懒惰、果断或优柔寡断等都被认为是性格特征。虽说“江山易改，秉性难移”，但并不是说性格不可以优化，只是需要一个长期的过程。

1. 优化性格的原则

（1）循序渐进原则

莎士比亚说：“金字塔是用一块块石头堆砌而成的。”优良性格的形成需要一个长期渐进的过程，不良性格的克服也需要长期不懈的努力。性格是一种相当稳定的个性特征，这种稳定性特点决定了性格的形成和转化只能是一个缓慢的渐进过程。无论是克服不良性格还是塑造优良性格，都必须坚持循序渐进、从大处着眼小处做起的原则。

（2）渐变转化原则

人的情绪是性格的特征指标之一，对性格的形成和转化具有诱导感染作用。比如，一个性格暴躁、个性很强的人，可以通过努力培养安定平静、从容不迫的情绪，使自己经常保持心平气和的心境，以促进暴躁性格的渐变转化。一个人如果能及时消除烦恼、愤怒、急躁等不良情绪，对克服急躁易怒的不良性格肯定是有好处的。正面的情绪鼓励愈经常愈持久，对良好性格的形成和培养也就愈有利。

（3）以新代旧原则

一种不良性格形成后，要改变它，办法之一就是从改变习惯入手，用新的习惯克服和改变原有的性格弱点。比如，你向来好胜逞强，办任何事情都不甘示弱，因而经常使自己惴惴不安、精神紧张。为此，你就要放弃做一个“强人”“超人”的愿望，中止以眼前胜败来衡量成绩的习惯，而培养起从大处着眼、从长处看问题的习惯。

（4）化劣为优原则

有一个孩子，在上中学时，父母曾为他选择了文学这条路。只上了一学期，老师就在他的评语中写了如此结论：该生用功，但做事过分拘礼和死板，这样的人即使有着完善的品德，也绝不可能在文学上有所成就。后来，一位化学老师认为他做事过分认真和死板，正好适合做化学实验，便建议他改学化学。这一次，他的缺点正好用在他适合的位置上，因为做化学实验需要的正是一丝不苟。他好像找到了自己的人生舞台，化学成绩在同学中遥遥领先，后来，他荣获了诺贝尔化学奖，他的名字叫奥托·瓦拉赫。奥托·瓦拉赫之所以能成为一个有用之才，就是因为很好地利用了他的“缺点”。

无独有偶，在法国有一家涂料公司，公司对全部员工进行了性格测评。该公司不是根据员工的优点来安排工作，而是按照每个人的缺点来编排岗位，譬如让爱吹毛求疵的人当质检员，让争强好胜的人去抓生产，让好出风头的人去搞市场公关，让斤斤计较的人去管仓库，等等。

（5）积累性原则

一个人的性格，一般都可以表现为临时性和稳定性两种不同状态。稳定性状态始终存在于个人的性格特征之中，而临时性状态仅存在于某一特定的环境和过程之中，一旦环境和条件发生变化，它便不复存在。比如勇敢，在有些人身上即表现为一种稳定性性格，不论什么情况，他都是勇敢的；而在有些人身上则仅为一种临时性状态，即他只是在某地某时某事上才表现出勇敢。虽然临时性状态是不稳定的，但这并不是说，临时性状态和稳定性状态是互不相容、不能转化的。如果我们有意识地把良好性格的临时性状态培养成为稳定性状态，那么，就能达到优化性格的目的。

（6）自我修身原则

性格优化的过程，从根本上讲，就是一个人自我修身水平不断提高和强化的过程。两者是相辅相成，密切相关的。为此，必须要有坚强的意志，进行持久不懈的自我修身。

2. 优化性格的方法

（1）改正认知偏差

有的人由于受不良环境的影响，或受存在不良性格的人的教育和影响，产生了错误的认知。如认为这个世界上坏人多、好人少；同人打交道，要防人三分；疑心重，以小人之心度君子之腹，等等。这样的人一般心胸狭隘、嫉妒心强、疑心大、古怪、冷漠、缺乏责任感等。因此，要想改变这些，必须改变这些不正确的认知。可多参加有意义的集体活动，去充分感受生活，多看些进步的书籍和伟人、哲人传记，看看他们的成功史和为人处世之道，这对自身性格的改变都会有所帮助。

（2）不要总用阴暗的眼光去看待别人

上过当或受过挫折的人，对人总存在一种提防心理，凡事总是往坏处想，这种人疑心重，心胸狭隘，办事优柔寡断。世界上既然有好事，就必然会有不如意的事；既然有好人，就会有一些害群之马，但好人还是多数。因此，我们要正确地看待别人，看待我们共同生活的社会。

（3）试着去帮助别人，从中体验乐趣

不良性格的人，往往以自我为中心，他们对人冷漠，一般不愿与人交往，生活在自我的小天地里。要想改变这样的性格，平常可以主动去帮助别人。因为人人都需要关怀，你去帮助别人，同样，别人也会主动来帮助你。同时，在这种帮助中，能体现自身的价值，心情改善了，对人的看法和态度也会随之改变，从而有利于人的性格的改善。

（4）有意识地进行自我锻炼，自我改造

人是一个自我调节的系统，一切客观的环境因素都要通过主观的自我调节起作用，每个人都在不同的程度上以不同的速度和方式塑造着自我，包括塑造自己的性格。随着一个人的认识能力的发展和相对成熟，以及独立性和自主性的发展，其性格的发展也从被动的外部控制逐渐向自我控制转化。如果每一个人都意识到这一变化并促进这一变化，自觉地确立性格锻炼的目标，从而进行自我修炼，就能使自身性格特征不断完善。

（5）培养健康情绪，保持乐观心境

一个人，偶尔心情不好，不至于影响性格，若长期心情不好，对性格就有影响了。如常年累月爱生气，为一点小事而激动的人，就容易形成暴躁、易怒、神经过敏、冲动、沮丧等性格特征，这是一种异常情绪性的性格。因此，要乐观地生活，要胸怀开朗，始终保持愉快的生活体验。当遇到挫折和失败时，要从好的方面去想，“塞翁失马，焉知非福？”想得开，烦恼就会自然消失。有时，心里实在苦恼，可以找一个崇拜的长者或知心朋友交谈或去看心理医生，不要让苦闷积压在心里，否则，容易导致性格的畸形发展。

（6）乐于交际，与人和谐相处

兴趣广、爱交际的人会学到许多知识，训练出多种才能，有益于性格的形成和发展。但是，与品德不良的人交往，也会沾染不良的习气。因此，要正确识别和评价周围的人和事，不要与坏人混在一起，更不要加入不健康的团队中。人与人之间要互敬、互爱、互谅、互让，善意地评价人，热情地帮助人，克己奉公，助人为乐，努力搞好与他人之间的关系，长此以往，性格就能得到和谐发展。

（7）提高文化水平，加强道德修养，改造不良性格

有的人已经形成了某种不良的性格特征，例如懒惰、孤僻、自卑、胆小等，要下决心进行“改型”。人的性格虽有一定的稳定性，但它又是可变的，只要自己下决心去改，是能产生明显效果的，懒汉可以成为勤奋者，悲观失望的人也可以

成为乐观向上的人。方法一是提高文化水平，二是加强道德修养。人的性格的形成是受人的文化水平和道德水平影响的。有文化、有道德的人，就有理智感，就能以正确的态度去对待现实生活，这就有助于形成良好的性格特征。

（8）取人之长，补己之短

"人海茫茫，风格各异""金无足赤，人无完人"。要善于正确地自我评估，辩证地对待自己的优缺点，好的使之进一步巩固，不足的努力改正，取人长，补己短，有则改之，无则加勉。久而久之，就能使不良性格特征得到克服和消除，良好性格特征得到培养和发展。例如张飞先前十分鲁莽、冒失，自从在诸葛亮帐下听命后，学习诸葛亮一生为人谨慎的优点，后来在一系列的军事活动中就能看出张飞已具有机智、细心等性格特征了。因此，每一个人只要肯下功夫，有意识地培养，都可以把自己塑造成为一个性格良好的人。

培养良好的性格，对自己、对集体都有极其重要的意义。一个有自制力、主动、果断、坚毅的人，能够很好地安排自己的生活和工作，能够正视现实、克服困难，在事业上取得成就。相反地，如果缺乏良好的性格品质，就会影响工作、学习和生活。

拒绝软弱，给性格融进“钢”和“铁”

在现代社会中，相当一部分人还不具备时代所需要的那种坚毅勇敢、冷静顽强、有胆有识、一往无前的英雄豪气。相反，倒显得十分软弱和拘谨。并不是所有的人都敢于像当年的高尔基那样面对世界这样说：“我要把人间和天上的一切奥秘统统揭开。”也不是所有的人都有勇气像赫赫有名的“超人”那样，到竞争最激烈的前沿去拼搏、去冒险。在这样一个特别需要勇气、魄力、创造力和自信力的时代，我们终于发现：在我们的性格中，多了一点谦卑和懦弱，少了一点刚强和勇敢。给我们的性格融进更多的“钢”和“铁”，使我们的性格更坚强，乃是我们这代人性格修养的重要任务。

坚强的性格，首先表现在不怕挫折和失败，能够经受数十、数百乃至成千次挫折和失败的打击，而能矢志不移、不屈不挠。强者和弱者的区别，很大程度就是表现在对待失败的态度上。世界上的事情往往是这样：事业未成，先尝苦果。壮志未酬，先遭失败。而且，失败常常专跟强者作对。原因很简单：低的目标容易达到，弱者胸无大志，目标平庸，几乎不经过什么失败就能如愿以偿。而越高的目标难度就越大，失败的机会也自然就越多。有的人渴望成为强者，但却经受不住失败的打击。他们经过一阵子的奋斗，遭到一次乃至几次失败后，便偃旗息鼓、罢手不干了，因而最终只能和一事无成的弱者为伍。

有人认为：经受住数十、数百次失败的打击而精神不垮，大概需要钢筋铁骨般的坚强意志，一般人是难以做到的。实际上未必如此。坚强的毅力并不单纯来自忍受，而首先是来自明智和豁达。忍受失败的毅力，主要来源于对失败的科学认识和正确评价。强者认识到没有失败就不会有成功，失败里面就包含着成功。他们把开拓新路中遭遇到的失败看作是理所当然的事，有着足够的精神准备。他们也认识到一次失败即是一次经验的积累，因而能在失败中看到成功的因素。被失败所打倒的人，与其说是害怕失败，不如说是对失败缺乏正确的认识。许多人把失败看作一种不幸和灾难，在事情刚开始之时，就抱有“只许成功不许失败”的想法，这不仅是不现实的，也是不明智的。“胜败乃兵家常事”，不仅是“兵家”，做什么事都会存在或胜或败两种可能性。在行动前只作成功的打算，不作失败的准备，这只会削弱对失败的心理承受力，从而在失败面前变得十分脆弱。

许多人往往不能认识到表面上的失败从长远看很可能是有益的。在他们看来，要么失败，要么成功，既然失败了，那就不会成功。而事实上，事情的结局并不能作“要么成功、要么失败”的简单划分，介于“失败”和“成功”之间的情况是无穷无尽的，“我失败了三次”和“我是个失败者”之间有天壤之别。而且，心理上的失败也不等于实际上的失败。有的时候，心理上感到失败了，而实际上他正在前进过程之中。而一个人只要心理上不屈服，他就没有真正失败。功亏一篑，亏就亏在心理的失败上。如果你在失败时，仍能表现得像一个胜利者，信心十足，充满干劲，那情况会大不一样。别人会认为，你的失败是环境所致，你是一个失败的强者，你会继续干下去，直到取得胜利。由此可见，在复杂的生活现象中，失败者和成功者这几个字很难恰当地用在一个复杂的、活生生的、总是在改变的人身上，它们只能代表某个特定时间、特定地点的情况。此时的成功可能连着彼时的失败，这项工作的失败也许正蕴含着另项工作的成功。对事情只作“成功”和“失败”的机械划分，这是十分有害的。

爱出风头的人，错误地认为荣誉不能和失败连在一起，似乎承认了失败，就玷污了荣誉，一遭到失败，就感到丢了面子。因此，在失败面前，他们或者一蹶不振；或者采取不承认主义，硬撑面子；或者怨天尤人，怪天怪地。这种人看起来十分要强，实际上不堪一击，是不折不扣的弱者。生活中，曾经有不少具有宏图大志的人，就因为一次失败，而把以前所有的胜利一笔勾销，彻底垮了下去。有一位大学生各门功课皆优，只因一次歌咏比赛中唱“砸”了，竟觉得无地自容，留下了一封对谁也没有责备的遗书，告别了人间。无疑，他想在各方面成为“强者”，但是却经不住一次“打击”，因而实际上成了十分软弱的人。古人早就说过：“能胜者能不胜者谓之勇。”不仅能够安于胜利和成功，对待挫折和失败也能安然处之，才是真正富有理性的勇士。鲁迅当年曾经感叹中国少有失败的英雄，少有敢于单身鏖战的武人。只有不怕失败的人，才是真正的英雄。

许多人在看到强者的成功时，羡慕不已，嚷嚷着要敢于冒风险，却对自己行动中哪怕是微不足道的一点失败都沮丧不已，这决算不上“大丈夫”的行为。想要成就大事业，就不要害怕和失败打交道。一位立志改革的人说："如果我不会出错，那么我就不是在探索。"美国有一家鼓励创新的企业，鼓励创新的内容之一就是"允许失败"。这家企业的负责人说："只要你不心甘情愿地接受错误，你就不能创新。如果你拒绝了失败，实际上你也就拒绝了成功。"这里所包含的，就是胜和败的辩证法。

还有的人之所以害怕失败，是因为不懂得到底怎样才能"吃一堑，长一智"。失败除了带给他沮丧以外，没有给他带来任何东西，因而他自然而然地把失败看成可怕而又糟糕的事。失败从不会让人高兴，但一旦你学会利用它，它就会为你做出积极的贡献。比起重复过去的成功来，失败是个更好的老师。重复过去的成功不见得使你学到新东西，而失败则肯定能给你以新的教益。你可以从一个组织得一团糟的聚会中学会怎样组织一个成功的聚会，你也可以从一系列失败的方案中理出比较可行、比较成功的方案。总之，只要你动脑解剖失败，从失败中挖掘教益，你就能更快地从失败中走出来。

如果我们对失败有了正确的认识，而且对失败采取了正确的态度，那么，我们就不会被失败所打倒，屡经失败而不悔的顽强性格也就自然形成了。

摘下面具，克服自我封闭的性格

中国有句“少年老成”的成语，用来赞扬那些看起来不动声色，善于掩盖自己真情实感具有老成性格的年轻人。过于沉重的负担和种种无形的陈规陋习，使许多人误以为冷淡和不显露感情是成熟的标志。我们所受的早期教育总是要求我们刻意修饰自己的形象，要显得稳重并循规蹈矩。我们日益变得只相信“规范”“责任”等抽象的概念，终日受到种种担忧顾虑的干扰和威胁，而不再倾听或竭力回避着自己内心的呼唤。人们总是担心遭受这样的议论：“那个人总像一个孩子，永远也长不大。”

过分地、浮夸地表现感情并不可取，但我们不能因此对生活中真正打动我们内心的人和事视而不见。把感情封闭起来，把性格压抑起来，把人性伪装起来，戴上所谓成年人的千篇一律的面具去生活，只会使我们的生活腐败变质。人类的内心世界是由感情凝结而成的，所以我们才能在邻居或朋友之间建立起诚挚的友谊，才能在夫妻间建立起成功美满的婚姻和家庭，社会也才能通过感情的纽带协调运转。真挚的感情无影无形，但它却比任何实际的东西都更有价值。正因为如此，寻找失落的童年时的笑声和真情也才会成为人们历尽磨难后的梦想。

自我封闭的性格不仅使我们的生活变得寂寞、沉重、多疑和孤僻，还使我们一度拥有的创造能力丧失殆尽。与成年人

◇ 如何克服封闭性格 ◇

▲ 信任他人

▲ 学会对自己说“没关系”

▲ 顺其自然地去生活

▲ 不要为真实的感情梳妆打扮

相反，儿童更多的是使用脑的右半球，那是人的智慧中枢和想象力、创造力的发源地。左脑半球是人的逻辑中枢，储存着成人后掌握的种种规范和观念。左脑半球的发展压抑了右脑半球的活动，人们不再能无忧无虑地创造自己的生活了。欧洲画坛大师马蒂斯大声疾呼，艺术家一辈子都应该像孩子一样去看世界，“因为丧失这种能力，就意味着同时丧失了每一个独创性的表现”。

天性开朗、热情、奔放的人根本就没有必要追求少年老成的效果，以至于制造出一种扭曲的性格，它比肢体的残疾更要令人悲哀。装出一副老于世故的外表和麻木不仁的面孔去迎合某种观念和大众化的口味，是怯懦的表现。走出自我封闭的圈子，注意倾听自己心灵的声音并大胆表现才是美好和幸福的。当我们要压抑自己的感情，想把它封闭起来时，我们有必要反躬自问：我怕的是什么？我为什么不能更自由、更真实地生活在世界上，而不是在面具里？

有所作为的人从不掩饰自己的真情。罗斯福会发出孩子般爽朗的笑声；丘吉尔会为了区区小事就大失身份地和自己的男仆争吵起来；列夫·托尔斯泰听柴可夫斯基弹琴时当众流下了泪水；大书法家米芾给友人写信写到“芾再拜”时，竟恭恭敬敬地站起身来，向桌子拜了下去。用世俗、功利的眼光又怎么能理解这些名人的率真行为？

罗斯福总统的夫人艾莲娜有一次犹豫不决，下不了决心是否去做某件事，她向经济学家巴鲁克请教：“我的头脑叫我去做，可我的心叫我不要做。”巴鲁克的忠告是：“有疑问时，遵从你的心。如果因为遵从你的心而做错了事，不会觉得太难过。”为了你生活得更快乐、更有意义，请你摘下导致自我封闭的面具。克服封闭性格，可以从以下几个方面入手：

1. 信任他人

如果你对新结识的人表现冷淡，这往往意味着你对人的信任感和孩子般天真的直觉已被自我封闭的重压毁灭了。那么，你就不会从你周围的人们中获得乐趣。这时，你应该放松自己紧张的生活节奏，不妨和初次见面的人打招呼，或者在你常去买东西的小店里和售货员聊聊，或者和刚结识的新朋友一道参加郊游。努力寻找童年时交友的感觉，信任他人和你自己，而不要每时每刻都疑窦丛生。

2. 学会对自己说“这没关系”

孩子们经常发出无缘无故的笑声，他们的烦恼从不闷在心里。我们常常会被生活中各种各样伤脑筋的事压得两腿打战。其实，生活中果真有那么多的烦恼吗？许多事并没有什么大不了的，只是我们把它放大了而已。我们要学会对自己说“这没关系”，这样，我们的生活里就会常常充满开怀的笑声。

3. 顺其自然地去生活

不要为一件事没按计划进行而烦恼，不要为某一次待人接物不够周全而自怨自艾。如果你对每一件事都精心策划，以求万无一失的话，你就不知不觉地把自己的感情紧紧封闭起来了。你已经忘记了自己小时候是什么样子。应该重视生活中偶然的灵感和乐趣，快乐是人生的一个重要价值标准，有时能让自己高兴一下就行，不要整日为了明确一个目的、解决某一项难题而奔忙。

4. 不要为真实的感情梳妆打扮

如果你和你的挚友分离在即，你就让即将涌出的泪水流下来，而不要躲到盥洗室去。为了怕人说长道短而把自己身上最有价值的一部分掩饰起来，这种做法没有任何道理。生活中许许多多的事都是这样，遵从你的心，听从你心灵的声音，正如巴鲁克教授所说，这样即使做错了事，我们也不会太难过。

加强调适，及时优化你的敏感性格

敏感型性格的人多属于神经质气质，这种气质的人大都神经过敏，常常自卑胆怯、小心谨慎、强迫症明显。神经过敏是他们最主要的特征，并由此特征导致了其他特征的产生。

因此说，虽然敏感型性格的先天因素很强，但后天因素的影响也有相当重要的作用。尤其是在幼儿时期，如果长期处于一种容易受刺激的环境之中，久而久之就会特别敏感，从而形成敏感型性格。

根据艾里克森的个性发展论，性格是在人的内动力和外环境产生和解决矛盾的过程中发展起来的，具有阶段性：婴儿期、幼儿期、学龄前期、学龄期和青春期。这五个阶段是性格形成的重要时期，青春期心理发展似骤风暴雨，如果因为性发育的困惑得不到正确疏泄，或在感情、伙伴关系、职业选择、价值观上处理不当，可发生自我意识混乱，使潜在的消极性格特征浮升为主体特征。

这就是一些人小时候并不显示出其敏感的性格，成人后却变得十分敏感的原因。但是，大部分具有敏感性格的人都具备先天因素，只不过在某一阶段隐藏较深或外部环境没有激发而已。所以敏感性格的形成也是多方面的。

1. 敏感型性格的优点

尽管敏感型性格有其难以避免的缺点，如他们很容易神经过敏，会因感情用事而引起不必要的麻烦，但他们可通过独特的想象力、敏锐的感悟力，在对目标的追求中实现自我价值。敏感型的人适宜于高智力的活动，他们可以运用创造性想象及推理方面的特长创作文学作品。他们还可以选择担任军事指挥，因为他们拥有别人没有的感悟能力，一件事普通人可能毫无知觉，但敏感型的人却早早意识到了它的不同之处。

著名歌星迈克尔·杰克逊天性敏感、柔弱。他从小就是个内向、文静的男孩，虽然有着极高的音乐及舞蹈天赋，但他却很害羞，这样的性格是不适合在歌坛上闯荡的，但他很小就涉足了这个领域，这本来就是一种很矛盾的情况，所以导致他永远都处于自我与周围世界交流的两难处境中。即使成名多年后，在现实生活中，他在心理上始终存在着某些令他无法与现实世界沟通的障碍。

舞台上的他疯狂、热情，但现实中的他却是个非常孤僻的人，一个自我封闭的人，一个极其容易受伤害的人，一个几乎完全生活在儿童世界里的人。

2. 敏感型性格的缺点

一般来说，过度敏感者有以下缺点：

（1）性情古怪，人际关系紧张

过度敏感者容易兴奋，对刺激极为敏感，这样就导致很多心态交替影响行动，具体表现为多疑、偏见、固执、容易激动、爱生气，给人的感觉是脾气古怪。其实，有的过度敏感者已经患上了不同程度的神经衰弱症和神经官能症，究其病根，就在于长期的过分敏感、过度紧张，引起大脑神经兴奋与抑制失调。由于失调，身体便会出现不适感，长期的身体不适又加深大脑功能的进一步紊乱，形成了一种恶性循环。

现实生活中，我们很少发现性格过度敏感者是身体十分健康的，原因就在于此。尤其是一些女性多具有这种性格，有的很悲观，总认为自己有病，经常把心思集中到自己的病上，陷入不能自拔的境地。这样在常人眼里便觉得有些古怪，加上每天生活中的一些小事，比如小摩擦，性格敏感者总是斤斤计较，搞得周围的人都感到紧张。

《红楼梦》里的林黛玉就是典型的敏感性格。从她刚进贾府的那种表现就可看出。她的性格养成大概和她自幼丧母有很大关系，加之又寄人篱下，使得有很多人不喜欢林黛玉而喜欢薛宝钗是非常可以理解的，至少薛在处理人际关系方面就要比林高明得多。

（2）缺少自信，生活无趣

虽说过度敏感的人不擅长处理人际关系，但并不是说他们对别人不关心，恰恰相反，他们十分在意别人的一举一动，尤其是关于自己的。由于自身极强的感受力，所以他们活得比较累，特别在意自己在别人心目中的形象，总是千方百计地把自己树立为受欢迎或受羡慕的对象。表面看来，性格过度敏感者不合群，比较自主，实际上不是这样，他们也渴望到人群中去，只是害怕别人的一言一行对自己造成伤害，而这种伤害对自己的自信心造成的打击又十分强烈。

过度敏感者是活在别人的眼光里，是缺少自信的。不是不愿与别人建立良好的人际关系，而是本身固有性格使他们不能搞好人际关系，与别人相处，他们会觉得非常辛苦。人家实际上说的是一些与他毫不相干的话，他却认为是针对自己的，自己经常处于紧张的警戒当中，生活自然显得无趣了。

虽然，性格过度敏感者的感觉先行一步，善于捕捉还未出现的信息，但往往由于其人际关系糟糕，缺少组织协调能力，再加上柔弱的个性，所以他们很少取得成功。

3. 如何调适敏感型性格

（1）学会强化自己

在生活中，很多过度敏感者总是以别人的评价为中心，以别人的好恶为是非。这种人长期跟着别人转，只会使自己变得更加敏感，要避免这种“过敏心理”，唯一的途径就是强化自己。如果你继续放任这种“过敏心态”，它将会给你现在和将来的社会活动带来数不清的麻烦。

别人用异样的眼光盯着你时，你不必局促不安，也不必神情窘迫，更不要用怪诞的眼光和他对视，你只要用你的眼睛平和地接住对方的目光即可。久而久之，你就会发现自己就是自己，别人也会发现你的优点和长处。乐意与人交往，你可以自如地生活在千万双眼睛织成的人生网络里。

（2）认识自己，善待自己

认识到自己不能代替别人，别人也代替不了自己，别人不会事事强过自己，自己也不可能事事出人头地。要有大处着想的胸怀，敢于公开自己的优缺点，而不是去掩饰，要有“走自己的路，让别人去说吧”的勇气。

（3）不计较小事

每天的生活中有无数的小事，人际交往中不可避免地有矛盾、冲撞甚至冲突，这些都是正常的。有些小事发生就发生了，把它当作雨过云消就可以了，何必拿一点小事跟自己过不去呢？与其一个人待在一间屋子里胡思乱想，不如找几个人痛痛快快地聊聊。如果一个人被生活中的烦琐小事牵着鼻子走，人就会变得琐碎，不仅不讨人喜欢，而且自己也会烦恼不断。

（4）加入集体，放松身心

多参加一些集体活动，常坚持体育锻炼，对过度敏感者大有益处。参加集体娱乐时如发生敏感干扰，自己马上要意识到放松，用松弛身心的办法来对待。比如自我暗示，转移注意力，改变话题，有意避开现场，都能收到良好的效果。另外，可以多读一些有益的书籍，使自己的敏感控制恰到好处，这会使你的人际交往不再是难题。

（5）调整心态

敏感是你的性格优势，敏感者不是自卑者。所以，意识到自己敏感，或者别人说你特别敏感一定不要自卑，相信敏感总比感觉迟钝要好。

（6）学会包容

对别人关于你的言行别放在心上，反复对自己说“他的动机是好的”。或者坚持认为他是口误或一时冲动。这样有助于和别人交往。

（7）增加自信

认为自己有很多优点，别人应以自己为榜样，而不是以别人的眼光指挥自己的行为。想象生活中的诸多乐趣，认定生活是美好的，挫折和失败永远都只是暂时的。不要把生活看成是灰色的。关注大事，忽略小事，有意培养自己的“粗心大意”，很多问题不必问“为什么”。

第四章

塑造乐观性格：用积极的态度面对人生

用乐观的精神面对人生

英国哲学家培根在论生活与智慧的关系时说：“生活是智慧的源泉，生活让智慧充满了绚丽的光芒。人类的智慧都隐藏在生活的门后，智慧经常会破门而入，给生活以意外的惊喜……大自然给了我们每个人一扇门，一扇神奇的门，而这扇心门如果紧闭，则常常会成为我们的敌人。其实只要我们轻轻一转，就可以全面感受生活与智慧，感受智慧的美丽，感受生活的可爱。”

打开心灵的门，呈现在我们眼前的是一个纷繁美丽的世界。

用一颗美好的心灵去看待世界，时刻保持一种乐观的精神去面对人生，多一份自信，少一份自卑与失望。

用美好的心灵看世界，总是用乐观的态度面对生活，多一份感激，少一份抱怨。

用美好的心灵看世界，总是用顽强的意志面对困难和挫折，多一份勇气，少一份怯懦。

用美好的心灵看世界，总是寻找别人最好的东西，多一份肯定，少一份挑剔。

1. 打开心门

曾经有一个人，每到晚上都会做一个梦，他梦见自

◇ 用乐观精神打开心门 ◇

人生中总会有种种艰难险阻，我们要打开自己的心门，用乐观积极的心态去勇敢地面对挑战。不敢打开心灵之门的人也就随之把获得幸福的机会锁在了门外。

己走在很长的走廊上，在他走到尽头的时候出现了一扇门，看见门他就全身发抖，直冒冷汗，但他一直不敢打开这扇门。就这样，二十年来他每晚一直都在做着同样的梦。他也找心理医师治疗了二十年，但一直没能解决问题。后来，他换了心理医师，也把梦的情形跟医师说了个明白。

医师在听完后觉得很奇怪，就跟他说："你为什么不把门打开看看呢？反正情况不会更糟了。"这人想了想医师所说的话，觉得不无道理，因此，当晚在梦中他便鼓起勇气把门给一下推开了。

隔天，他去找心理医师，医师问他："门打开了吗？"

这个人点点头回答："打开了。"

医师问："门后有什么呢？"

他说："打开门后，呈现在我眼前的是一片绿油油的柔软草地，有灿烂的阳光，还有耀眼的蝴蝶在飞舞。"

实际上，在我们平时的生活当中有许多这样的人，他们总是不敢打开生活的心灵之门，因为怕打开，所以常常缩在幸福之门外不敢面对。

当孤单的时候，当寂寞的时候，当忧愁的时候，当心烦的时候，当矛盾的时候……"唉，我应该怎么办？"这是多么无奈的感觉！

轻轻告诉你，打开你的心灵之门吧！把你自己的烦恼、矛盾告诉你值得信赖或者有能力帮助你的人，让他来开导你。人人都会遭遇到烦恼，关键是看你如何去面对、去对待。我们要少为小事而烦恼，多为目标而努力。我们就像是在大海上航行的帆船，海浪就像是我们在航行过程中所遇到的重重困难，我们必须要勇敢地战胜困难，奋力地冲向大海的彼岸。

我们要培养正确的人生观念与处世态度，发展自身的真实能力，能够清楚地认识自己、了解自己，学会克服生活当中的烦恼之事，能够调节或者控制自己的情绪，控制自己的冲动行为，培养对困难挫折的耐受能力。

2. 打开心灵之窗，享受生命的阳光

如果一栋房子没有窗户，温暖的太阳也就无法照射进来，新鲜的空气也不能飘散进来。

人也是这样，心窗没有打开的时候，你就会感到气闷；一旦心窗打开了，心才能够通达，心灵的视觉才更清晰。

一旦窗户打开了，心灵的空间也就豁然开朗了，对于一些事情也自然看得更加透彻，这时你的生命也就充满了快乐，生命就有了意义，这时你会觉得上帝给了你一件最珍贵的礼物——生命。为了报恩，你会珍惜自身的生命，热爱健康，在漫漫的生命长河之中你会发现幸福、快乐、热情和友爱。

人总是为追求名与利、权与势而不辞劳苦，追求私欲而不会感到满足，追求情爱而缠绵不尽，对于所有的这些，会使人万般痛苦而陷入不能自拔的地步。如果人人都能打开心窗，那么，所有的烦恼、痛苦就会烟消云散，生命会充满阳光、灿烂辉煌。

漫漫人生路，遇到了风雨，你会感觉到你还处在阴云密布的天际当中而无法解脱出来，你的心简直就要碎了，你开始怀疑你所见到的阳光的真实，怀疑这个世界，怀疑真善美，怀疑你眼前的一切：你的爱心被无情地欺骗。你仿佛置身在荒凉的地方，孤苦伶仃，泪水在心灵流了很久很久，你伤心地闭上眼睛，你倒下了。在你醒来的时候，在你眼前所展现的却是一张张笑脸、一双双真挚的眼睛。

在这个时候，你终于为自己打开了一扇心灵之门、生命之窗。你仿佛站立于大海的面前，春暖花开，你又一次看到了温暖的阳光，享受到了生命的阳光。

曾经有个人因为没有能打开心窗而断送了自身的生命，那个人在荒凉的古堡里写着《撒哈拉的故事》，在黄沙飞舞中流着眼泪，面容依然是那么憔悴。然而《梦田》的那个女子还是一去不返，这个人就是三毛。她曾写道："为什么流浪？为了梦中的橄榄树。"可是，还没有等到橄榄树绿满她的世界，她就这样永远地消失了——一条长长的丝袜结束了她的生命。三毛的悲剧在于她没有打开她的心灵之窗。她不知道死去的丈夫荷西更希望她能够坚强起来，希望她能够快乐地活下去，能真正更好地享受生命所带来的阳光。

打开心灵之窗，抹去自己好强的愁绪，让自己支离破碎的心重返平静，为自己曾经付出的一切铺垫一层梅花的幽香，有了一道凄美的伤痕。从此，哪便是萧萧残冬，哪便是落叶纷飞的黄昏街头，也不再为自己身边的凄凉与黑暗而迷失了自我，生命将平平淡淡地延续，因为我们已经打开了心灵的窗户，享受到了生命的阳光。

3. 拥有美好的心境

著名作家蒙田曾经说过这样一句话："这个世界永远不可

能完美，但我们的心灵世界却可以变得完美。”

在我们平时的生活当中，很多人都想拥有一个比较美好的心境。如何才能做到呢？其实你一旦抛弃了一切无谓的繁忙琐事，打开心灵之窗，拥有一个好心境根本就不是一件困难的事情。人的心灵是一座能够绽放百花的花园，只要你细心地去养护它们，自然就会开出美丽的花，从而香飘四溢。

因此，我们每个人都应该培养出一种平凡人的心境，在平凡的生活中，靠一日三餐而好好地活着，然后扮演好凡人的角色，就像一棵草、一朵花，它们才是最坦然、最朴实的一种生存。在现实的生活中，我们有太多的时候为别人而活着，痛苦地活在别人的目光当中，活得实在太累，从而使自己的心境变得黯淡无光。曾经有一位哲人说过：“生活原本就像一杯清水，你给它洒一勺糖，它就是甜的；你若给它放一把盐，它就是咸的，甚至变苦。人生就是一个调味瓶，有千万种的滋味，全由你自己调理。”诚然，人要学会坦然地面对生活，活出自己的忠诚、善良、激情、潇洒……只有做到这样，才是一种从容、一种完美。

选择乐观，不要自找烦恼与痛苦

有一位哲人曾说："假使你每天担忧一回，那么一生便要损失好几年。有什么能改善的，那么就尽力而为之。锻炼你自己，不要忧愁，因为忧愁于事无补。"的确，忧愁只会白白浪费我们的时间而已，如同把许多好的东西扔掉一样。然而，忧愁还是像"魔鬼"一样附在许多人身上，使他们寝食难安，终日闷闷不乐，但这些人却总是习惯把自己的不快乐甚至是痛苦看作是命运对自己的不公平，却从没反省过自己，这些痛苦和忧愁是他自找的，而不是外界强加在他身上的。

乐观本身就是一种成功，因为它表示你拥有健康的心灵，活得快乐潇洒，活得心安理得。

同一件事情，乐观者凡事往好处想，而悲观者则凡事往坏处想，两者的结果是完全不同的。

有一次电视转播音乐大师梅达的音乐会。梅达出场前挂了一个花环，当他上台起劲地指挥乐队时，花瓣纷纷落到脚下。

"等他指挥完，"一位女士议论说，"他会站在一堆可爱的花瓣之中。"

"到结束的时候，"男士有点忧伤，"他颈上只会挂着一道绳索。"

面对同样的事情，看法各不相同。显然，前者的乐观比后者的阴郁更容易让人奋进。

美国有一青年写的《自传》只有三个标点符号：“—”“！”“。”，即“一阵横冲直撞，落个伤心自叹，到头来只好完蛋”。

这一份以三个标点比喻自己消极颓唐的自传被心理学家巴尔肯知道后，把三个标点改成了“、”“……”“？”，他鼓励这位青年说：“青年时期是人生路上的一小站，道路漫长，希望无边，浪子回头金不换，难道不应该奋发努力？”这一改动形神兼具，寓意突出。那位青年果然振作精神，终于成才。

这个故事充分说明，乐观的心态远比悲观的心态更能够左右人生，更能催人奋进，获取成功。

虽然生活中不尽如人意的事情很多，但是我们仍应该以乐观的态度去看待，这样生活中就会少一分忧虑、多一分开心。

要是火柴在你的衣袋里着起来了，那你应当高兴，而且感谢上苍：多亏衣袋不是火药库。

要是你的手指头扎了一根刺，那你应当高兴：“挺好，多亏这根刺不是扎在眼睛里！”

如果你的妻子或者孩子练钢琴，不要发脾气，而要感激这份福气：你是在听音乐，而不是在听狼嚎或者猫的音乐会。

要是拔牙时医生错拔了好牙而留下了坏牙，那你也应该高兴：幸亏他拔错的是一颗牙，而不是内脏器官。

挨了别人一顿棍子打，那就该庆幸：“我多有运气，人家总算没有拿带刺的棒子打我！”

要是你正在走路，突然掉进一个泥坑，出来后你成了一个

“泥”人，那你应该高兴：幸亏掉进的是泥坑而不是沼泽。

要是一个朋友也没有，那你也应该高兴：幸亏没有的是朋友而不是自己。

……

亲爱的朋友，按我们的建议去做吧，你的生活会欢乐无穷，你身边的世界也会跟着变成你所期望的模样。你可以达到成功的最高峰，也可以停顿在无望、悲惨的生活中，这都取决于你看问题的态度。

杰里是个饭店经理，他的心态总是很乐观，当有人问他近况如何时，他总是回答：“我快乐无比。”

如果哪位同事心态不好，他就会告诉对方怎么去选择事物的正面。他说：“每天早上，我一醒来就对自己说，杰里，你今天有两种选择，你可以选择心情愉快，也可以选择心情不好，我选择心情愉快。每次有坏事情发生，你可以选择成为一个受害者，也可以选择从中学些东西，我选择后者。人生就是选择，你要选择如何去面对各种处境。归根结底，你要自己选择如何面对人生。”

有一天，杰里忘记了关后门，被三个持枪的歹徒拦住了，歹徒朝他开了枪。

幸运的是事情被发现得早，杰里被送进了急诊室。经过18个小时的抢救和几个星期的精心治疗，杰里出院了，只是仍有小部分弹片留在他体内。

六个月后，他的一位朋友见到了他，朋友问他近况如何，他说：“我快乐无比。想不想看看我的伤疤？”朋友看了伤疤，然后问当时他想了些什么。杰里答道：“当我躺在地上时，我对自己说有两个选择：一是死，二是活，我选择了活。医护人员都很好，他们告诉我我会好的。但在他们把我推进急诊室后，我从他们的眼中读到了‘他是个死人’。我知道我需要采取一些行动。”

“你采取了什么行动？”朋友问。

杰里说：“有个护士大声问我有没有什么东西让我过敏，我马上回答‘有的’。这时，所有的医生、护士都停下来等我说下去。我深深吸了一口气，然后大声吼道：‘子弹！’在一片大笑声中，我又说道：‘请把我当活人来医，而不是死人。’”杰里就这样活下来了。

这个故事告诉我们的就是：人生充满了选择，当你选择积极的心态时，就是选择了光明的前程和美好的未来。

选定以乐观的态度生活，就等于产生了一股永不止息的力量，它会使你朝着拥有成功的生涯、健康的身心及其他生命中的财富迈进。

心存期盼，让自己活得更充实

据说在鲁西南深处有个小村子，出了不少大学生，四邻八县的人都把这个村子叫“大学村”。这个村子广出人才，原因何在？记者去采访，可是村子里的人谁也说不清楚。要说知道其中原因的只有一个人，那就是最早在这儿教书的老师。这位老师曾在大学里教过书，后来不知何故被下放到这个村子里来教小娃娃。

村子里的人说，这位老师不但书教得好，还能掐会算，预测学生的未来。原来是有的学生回到家里对大人说，老师说我将来能当作家；有的学生对大人说，老师说我将来能当科学家。不久，家长们发现他们的孩子与以前大不一样，个个变得勤奋好学了。十年后，奇迹发生了，这些学生到了参加高考的时候，凡是过去说自己将来能当作家、能当科学家的学生，都以优异的成绩考上了大学。

这位教师退休时，又将自己的秘密传授给接他班的老师，接他班的老师又用这个方法来点燃孩子们心中的希望之火。

哈佛大学最杰出的心理学教授威廉·詹姆士说：“不管什么事情，只要满怀希望就会成功。你真诚地希望某种结果，就可能得到它。你希望行为善良，你便会为人善良；你如果想富有，你就会富起来；你希望博学，你就将会博学。”有什么样的美好期盼，就有什么样的人生。当一个人满怀期盼时，才能充分发挥自己的潜能，他的人生才会有惊人的闪光，那些不可能的事也才会陆续地变成可能。

一位大西北的老乡，五年前医院诊断他患有癌症，据医生说他的生命期限最多六个月。他从医院回来，茶不思、饭不想，心里痛苦了好一阵子。后来一想，既然病已经得下了，发愁害怕也没用，还不如想吃就吃、想唱就唱、想扭就扭，痛痛快快地活上六个月。

从此，他每天早上去公园扭秧歌，晚上又到渠坝上吼几段秦腔，天天如此，雷打不动。过了半年，他不但活得好好的，还觉得疼痛减轻了许多。三年后再到北京检查，医生诊断他的癌症消失了。

这个真实的事例再次证明，生命之火能为神奇的希望而燃烧。人有了美好的期盼，生命就会变得坚强起来，能使病入膏肓的人起死回生。一个人无论得了什么绝症，只要有一口气，就没有丝毫理由绝望。

人常说，患癌症是发生在我们身上最倒霉的事。其实，没有希望地活着，那才是最坏的事情。

在美国一家医院里，有位患癌症的大老板已经病入膏肓。家人为他请来一位很有名气的教授，教授想用心理疗法来给他治疗，便问病人："先生，你想吃点什么？"病人摇摇头。教授又问："先生，你喜欢听音乐吗？"病人又摇了摇头。教授接着又问："那么你对听故事、说笑话或者是交女朋友有没有兴趣?”病人用一种极其微弱的声音回答道:“没有兴趣。”教授想继续问下去,可家人在一边赶紧说:“教授,没有用,他健康时都没有什么爱好,就甭说是现在这个样子了。”

教授听了之后,神情一下子忧郁起来,他叹了口气,转身走出病房。家人追了出来很担心地问:“教授,是不是不好救了?”教授说:“我医治过成千上万的病人,每次我都是全力以赴,但对这个病人我是彻底地没有办法了,因为他是一个失去希望的人,对生活没有什么留恋,也不会有信心活下去的,再好的医生也治不好他的病。”不久这位大老板便离开了人世。这位老板有豪华的别墅,有高级轿车、汽艇,有花不完的美元,他应有尽有,可就是缺少了一样——美好的期盼。

人的美好一生是由一天接一天有希望的日子所组成的。在日常生活中,有些人常常认为,天天做同样的事:上学—放学、上班—下班,今天是昨天的翻版,今年又是去年的重复,觉得日子过得太平凡、太单调、太没意思,产生这种想法和感觉的原因是缺少美好期盼。如果每天能给自己一个美好的期盼,你就会觉得每一天都是新的开始,每天的学习、工作就不再是单调乏味的重复,而是量的积累、成功的前奏。人有了希望,就会觉得这一天活得很愉快、活得很充实、活得有意义。日常生活中的小小期待、小小盼望都孕育着希望,别小瞧这些微不足道的小期盼,只要有意义,就是美好的,都值得去努力、去实现。

对自己说 OK

对自己说 OK 是一种乐观的心态，是对自我的一种肯定。这是一个夸张的故事，但它能给人以启迪：

一个外出的商人，驾车行驶在漆黑无人的小路上。突然轮胎没气了，这时他看到远处农舍的灯光，边向农舍走去边想："也许没有人来开门，要不然就没有千斤顶。即使有，小伙子也许不会借给我。"他越想越觉得不安，当门打开的时候，他一拳向开门的人打过去，嘴里喊道："留着你那糟糕的千斤顶吧！"

这个故事会让人哈哈一笑，因为它揶揄了一种典型的自我击败式的思想。在商人敲门之前，他已向自己一拳拳地打过来，"也许……即使……也许……"这些只往坏处想的词语把他自己给击败了。

如果你想的是厄运和悲哀，那么悲哀和厄运就在前面。因为消极的想法会破坏一个人的自信心，不能给人以鼓舞和支持。面对失败，你需要有一种良好的感觉，首先要往好处想。

1. 调整你的思维

一位叫婷的妇女一见面就告诉医生："我知道你帮不

了我，医生。我简直糟糕透了，我把工作干得一团糟，我肯定要被解雇了。昨天我的老板说要调动我的工作，他说是提升，可是如果我干得很好为什么还要调动呢?”就这样，她越说越悲伤。其实两年前婷刚拿到工商管理硕士学位，薪水也不低。

第一次会面结束的时候，婷的治疗医生告诉她把平时所想的记下来，尤其是在晚上难以入睡的时候。下次治疗，医生看到婷的记录这样写道：“我并不精明，我之所以走到这一步，只是一次又一次的侥幸。”“明天将会有一场灾难，我从未主持过会议。”“老板今天上午一脸怒气，可我做错什么了?”

婷说：“仅仅在一天里，我就列出了26条否定自己的理由。难怪我总是无精打采、愁容满面呢。”

如果你情绪低落，那么你肯定是在给自己输送消极信息了。听听你头脑中的话，把这些话大声地读出或记下来，也许这样可以帮助你降服它们。

2. 排除毁灭性的话语

有些人总喜欢说“我只不过是个小秘书”“我仅仅是个小店员”，我们常用这些“只不过”“仅仅”来贬低自己的职业，进一步说就是贬低我们自己。

对于我们来说，罪魁祸首就是“只不过”和“仅仅”。如果把这些词去掉，就是“我是一个店员”和“我是一个秘书”，这些话就毫无损坏意义了。两个陈述都向随后而来的积极一面打开了大门，就是说“我正走在成功的路上”。

3. 停止消极思想

当消极信息一开始，就要用“停止”这个词阻止它。

“我该怎么办？ 如果……”你一定要放弃这样的想法。

为了有效地“停止”，你必须顽强而执着。 当你下命令的时候，要提高嗓门儿，设想自己压倒内心恐惧的声音。

小张是个二十多岁工作勤奋的单身汉，在一家公司任经理。他很小的时候母亲就去世了，父亲抚养他长大。他们生活得很好，但他父亲有时过于谨小慎微，致使小张不知不觉地受到了父亲的影响，变成了一个满腹疑虑的人。尽管被公司的一个女同事所吸引，可他从来不敢向她提出约会。他的多虑使他在这件事上毫无进展：“和一个同事约会好不好？如果她说不去，那多么难堪啊！”后来，当小张停止了他内心的声音约这个女同事出来的时候，她却说：“小张，你为什么不早点儿和我约会？”

4. 多往积极的方面想

当一个人心情沮丧时，他看一切事情都会感觉失望。 所以，当你通过喝一声“停止”，驱除掉那些消极的念头时，就要用积极的思维来代替。 多想些以前的好事，想一想你被提升了或者一次愉快的旅行。

有人曾这样来描述这个过程：“每天晚上我一上床，就觉得头脑里乱糟糟的，无法入睡，我总在想：我是不是对孩子太严厉了？ 我忘了给那位当事人回电话了吗？ 最后，在我不知所措的时候，我想起了有一次和女儿去动物园的事。 我记起她笑黑猩猩，很快我的头脑充满了愉快的回忆，我便睡着了。”

5. 扭转思维方向

你还记得自己无精打采的时候，忽然有人说：“我们出去玩会儿好吗？”你是怎么一下子振作精神的呢？ 你改变了思维的方向，心情便一下子开朗了起来。

现在就扭转思维方向，比如你很紧张，因为到星期五之前你必须完成一项庞大的计划，而星期六你计划同朋友去采购，这时你就需要把感觉从负担沉重的星期五调整到快乐的星期六。

练习一下把痛苦的焦虑转变到主动解决问题的心理状态。如果你害怕飞行，那么当飞机起飞或降落时，可以把注意力集中到机场的灯光或跑道上。 在飞行中，你可以想一些地面上你喜欢的活动。

通过调整自己的思维，你可以发现另一个自己及周围的另一个世界。 如果你认为自己可以做什么事情，就要争取做这件事情的机会。 乐观精神会推动你向前，消极悲观会使你陷入困境。

培养自己的这种习惯：保持最好的自我，成为你最想成为的那个你。 尤其要记住自己受人赞美的地方，那就是真实的你，使之成为指导你一生的参照物——最好的自我形象。

你会发现重新调整感觉的做法像磁石一样吸引你，当你的设想使自己达到了目标时，你会感觉到这块磁石的力量。

乐观者才能看到希望

我们的内心是否平静，我们的生活是否快乐，并不取决于我们在哪里、我们有什么、我们是什么人，而是取决于我们的心境如何。

密尔顿曾说过这样的话："思想的运用和思想的本身，就能把地狱造成天堂，把天堂造成地狱。"

依匹克特修斯警告我们说："我们应该极力消除思想中的错误想法，这比割除身体上的肿瘤和脓疮要重要得多。"

蒙坦把以下的话作为他的座右铭："一个人因发生的事情所受到的伤害，不及因他对发生事情所拥有的意见来得深。"

威廉·詹姆斯说："行动似乎是随着感觉而来，可是实际上行动和感觉是同时发生的。如果我们使自己在意志力控制下的行动规律化，也能够间接地使不在意志力控制下的感觉规律化。"

可见，积极的心态对于我们的生活有多重要。

英格莱特在十年前得了猩红热，当他康复以后，又发现得了肾脏病。他去找过好多个医生，但谁也没有办法治好他。随后，他出现了一种并发症，他的血压高了起来。他去看一个医生，医生说他的血压已经到了最高点。医生宣布他已经没有希望了，最好马上料理后事。

英格莱特回到家里，在弄清楚他所有的保险都已付过之后，开始向上帝忏悔他以前所犯过的各种错误，坐下来很难过地默默沉思。他让所有的人都很不快乐，他的妻子和家人都非常难过，他自己更是深深地埋在颓丧的情绪里。

然而，在经过一星期的自怜之后，他对自己说："你这样子简直像个大傻瓜。你在一年之内恐怕还不会死，那么趁你还活着的时候，何不快快乐乐呢?"于是，他挺起胸膛，脸上露出微笑，试着让自己表现出好像一切都很正常的样子。刚开始的时候还觉得很费力，但是他觉得强迫自己开心不但有利于他的家人，对他自己也大有帮助。

他发现自己开始好多了。这种改进持续不断，他不仅很快乐、很健康、活得好好的，连他的血压也降下来了。有一件事他是可以肯定的：如果他一直想到会死、会垮掉，那位医生的预言就会实现。可是他给自己的身体一个自行恢复的机会，别的什么都没有用，除了改变他的心情。

让我们记住威廉·詹姆斯的话："通常来说，只要把受苦者内心的感觉由恐惧改成奋斗，就能把大部分我们所谓的邪恶改变为对你有帮助的好处。"愿我们每个人都有积极乐观的心态，为我们的快乐而奋斗。

第五章

具备进取性格：把命运握在自己手里

只要第一，不要第二

美国潜能成功学大师安东尼·罗宾说：“如果你是个业务员，赚1万美元容易还是10万美元容易？告诉你，是10美万元！为什么呢？如果你的目标是赚1万美元，那么你的打算不过是能糊口便成了。如果这就是你的目标与你工作的原因，请问你工作时会兴奋有劲吗？你会热情洋溢吗？”

当你问起NBA职业篮球高手“飞人”迈克尔·乔丹，是什么因素让他不同于其他职业篮球运动员的表现，而能多次赢得个人或球队的胜利，是天分吗？是球技吗？抑或是策略？他会告诉你说：“NBA里有不少有天分的球员，我也可算是其中之一，可是造成我跟其他球员截然不同的原因是，你绝不可能在NBA里再找到我这么拼命的人。我只要第一，不要第二。”

你或许会感到不解，到底迈克尔·乔丹拼命不懈的动力来源于何处？那是发生于他念高中一年级时一次在篮球上的挫败，激起他决心不断地向更高的目标挑战。就在这个目标的推动下，“飞人”乔丹一步步成为全州、全美国大学乃至于NBA职业篮球历史上最伟大的球员之一，他的成绩一一刷新了篮球比赛的纪录。

那天，乔丹被学校篮球队退训，回到家他哭了一个下午。在那个重大打击下，他原可能就此决定不再打篮球了，可是没有，他反而把这个教训转变为强烈的愿望：为自己制订一个更高追求的标准、更难达成的目标。他的决定出自内心且很坚决，由此改变了自己的命运，也让篮球比赛的发展为之改观。

他不仅要重新成为球队的一员，并且还要成为最棒的。

在升高二之前的暑假中，他找到校队教练克里夫顿·贺林寻求帮助，每天在教练的指导下进行密集训练，终于他被选入校队参加比赛。十年之后，他更证明了NBA芝加哥公牛队教练道格·柯林斯的见解：准备得越充足，幸运就越会跟着来。

经常有很多人不愿意给自己制订目标，因为害怕失败所引致的失望，然而他们却不懂得“设定目标乃是成功的基石”。

你的目标中必须含有某种能激励你自我拓展、自我要求的要素，而这些要素也会帮助你不断成长、改变和进步。

一个真正的目标必定充满挑战性，正因为它具有挑战性，又是由你自己所选择的，所以你一定会积极地想完成它。换句话说，你的目标不仅是一种挑战，同时也是激励你的原动力。

当你列出自己想成为的人、想做的事及想拥有的东西，又在每一项中圈选出你认为最重要、最具挑战性的事情后，再尝试找其他重要的答案，你可能会需要用不同颜色的笔，在每一项中标示出两三件对你重要的事情。

仔细地衡量这些事情，并问问自己以下问题：

（1）我是否看出其中的连锁关系？ 这些我所认为重要的事情，彼此间是否存在某种程度的关联呢？

（2）我是否看出三大要项：我想成为的人、想做的事、想拥有的东西，三者之间也有一定的关系吗？

试着找出它们的关联，而最终你会发现，在你的生命中它们紧密地交织在一起，无法分割。 你就是你想成为的人，你就是你想做的事，你就能拥有你想拥有的东西。

无论如何，你可以从你所选择的重要项目中发觉其间的关联性。 也许你会在这些关联中有新的发现，进一步找到发展兴趣的新方法，或为自己创造出新的能力及特质。 果真如此，那么你将会在这个过程中发现自己源源不绝的创造力！

设定超越自我的目标对你人生方向的影响一开始可能不是很大，那就像航行在大海里的巨轮，虽然航向只偏了一点点，一时很难注意，可是在几个小时或几天之后，便可能发现船会抵达完全不同的目的地。

不知你是否玩过拼图游戏？ 若你在人生中没有清楚的目标，就好像不知整个全貌，乱拼凑生命。 当你知道了自己的目标，便能在脑海里描绘出一幅图画，让神经系统得以按图索骥，找到最需要的资料。

有些人似乎经常迷失方向，一会儿向东、一会儿向西，一下子试试这、一下子又试试那，似乎永远没有定向。 他们的问题很单纯，就是不知所求的是什么。

如果你也不知道所追求的是什么，那就永远不会有击中目标的一天。

你得先建立个美梦，尤其是得全心全意地去做。 如果你只是随手翻翻，不会对你有什么帮助。希望你能够坐下来，手里有一支笔和一张纸，写下自己未来的目标和计划。

找一个让你觉得最舒服的地方，不管是你喜爱的书桌还是角落里照得到阳光的桌子，只要能让你心静的地方，花一个多小时好好计划一下你未来的希望，比如：做些什么？ 看些什么？ 说些什么？ 成为什么？ 相信这会是你一生中最宝贵的时光。你要去学习如何设定目标和预测结果，画出一张人生旅程的地图，勾勒出自己的去向和行动的路径。

在一开始，要先给你一个忠告，就是不要给自己设限。或许不给自己设限会把你的注意力从你最在行的事上移开，不过从另一方面来看，这又何尝不是帮助你移开可能的限制呢？唯有你自己去制订目标，才是唯一能实现期望的方法。

经营自己的长处

你了解自己吗？ 你清楚自己身上所蕴藏的能量吗？ 你知道自己最想做的是什么吗？ 你了解自己的特长吗？

面对这些问题，你的回答也许是：我是一名工人，我是一名工程师，我是一名生意人，我是一个公务员；我很平庸，没有什么能力；我不知道我想做什么；我没有任何特长……

显然，大多数人对自己都只是表面上的认识而已，很少有人完全了解自己，如：拥有什么？ 想要什么？ 能够做什么？想过一种什么样的生活？ ……事实上，了解自己是人生最重要的一课。

草原上，一只野狗对狼说："现在食物越来越难找了，我们还是去投靠猎人吧，这样就可以避免挨饿，而且也没有什么危险。"

"可是，投靠猎人我们就失去自由了。再说，我的目标不是做一只只能填饱肚皮的狼。"狼说完就和野狗分手了。

若干年后，它们又相遇了。但是，它们现在的身份却和以前不一样了。野狗变成了猎狗，脖子上系着一根长长的铁链，显然，它是不自由的。而狼则成为一片原始森林中的无冕之王，在那片森林里，它是主人，有着绝对的权威，其他兽类都臣服在它脚下。

为什么它们的命运有这么大的区别呢？ 这是因为狼清楚地了解自己，知道自己的目标，也知道怎样去实现自己的目标，所以它成功了。

拿破仑率军所向披靡，不是因为他的身体比别人强壮，而是因为他清楚地认识到了自己所具有的超人的号召力、非凡的军事指挥才能和无人可比的野心……正因为他清楚地认识了自己，他和他的军队才能横扫欧洲大陆。

可是，在现代社会里，有多少人了解自己呢？ 又有多少人清楚自己身上所蕴藏的潜力呢？

福勒制刷公司的经理阿尔费拉德·福勒出生于贫苦的农场家庭，住在加拿大东南的新斯科夏半岛。在未创办福勒制刷公司前，他虽努力维持生计，却接连失去了三次工作的机会。究其原因，是因为福勒没有正确认识自己的长处，他找的工作都不适合他的性格，也无法发挥他的潜能，因此失业是必然的。

但是，在接下来的日子里，福勒的生活发生了根本性的变化。他重新找了一份销售刷子的工作。就在那时，福勒受到了激励，他开始认识到，他最初的三件工作对他都是不适合的，他不喜欢那些工作，而销售工作能充分发挥他的长处。福勒知道自己能把销售工作做得很出色，因为他喜爱这种工作。所以福勒把他的精力完全集中在销售工作上，他成了一个成功的销售员。他在攀登成功的阶梯时，又立下一个目标，那就是创办自己的公司。如果他能经营买卖，这个目标就十分适合他的个性。

于是，阿尔费拉德·福勒停止了为别人销售刷子，这时他比过去任何时候都更为兴高采烈。他在晚上制造自己的刷子，第二天就出售。当销售额开始上升时，他就在一所旧棚屋里租下一块空间，雇用一名助手为他制造刷子，他本人则集中精力于销售。

从“福勒制刷公司”的故事中，我们可以得到这样一个启示：了解自己，分析自己的长处和兴趣，然后向这方面发展，就一定能获得成功。

人生成功的诀窍之一就是挖掘自己的潜力、经营自己的长处。人生如平面直角坐标系，横、纵坐标便决定了你的位置。一个人如果站错了位置——选择用自己的短处而不是长处来立业的话，那常常是十分困难的。有可能最后你会成功，但为此你将耗费比别人更多的时间与精力，代价的惨重也许是你不愿正视的；也有另一种可能，是你将为你错误的选择而沉沦于永久的懊悔与失意之中。

了解自己的长处，保持热情并充分地加以利用，也许你就会因此而改变自己的命运。美籍华人科学家、曾获诺贝尔物理学奖的杨振宁教授，年轻时到美国留学，立志要写一篇实验物理论文，但后来他发现自己的动手能力不行，便在导师的劝告下，放弃实验物理，全面转入理论物理的研究，这关键性的一步对他来讲非常重要。他在《读书教学四十年》一书中不无幽默地写道：“有的朋友说这恐怕是实验物理学的幸运。”

在各种看法之中，最重要的一项是你对自己的看法。你整天所谈的事中，最具意义的也就是你对自己所说的话。我们每个人的潜能都是无穷无尽的，然而能发挥多少全看我们如何认识自我、战胜自我。正确自我意识的形成与健全需要付出艰辛的努力和沉重的代价，它是每个追求卓越、追求自我实现的人的终生课题。

有这样一个青年，大学毕业已经工作两三年了。他在听了一次成功心理课之后，颇受启发和鼓舞，心情为之振奋。他在课上的当众讲话练习中说："所有的成功者，尽管他们的出身、学历、境遇、职业和个性等各不相同，但有一点是共同的，就是自信主动。自信是成功的第一要诀，今后我一定要自信！"大家对他的发言报以热烈的掌声，然而在他回到公司后又变得情绪低落了。为什么会出现这种反差呢？原来他所在的研究室，所有的工作人员都比他学历高，不是博士就是硕士，只有他一个人是本科。所以，不论他在家里事先想得有多么好，但只要一上班就"前功尽弃"，只感到自卑而无法自信。

要正确地认识自我，首先要从生理的自我、心理的自我、社会的自我三个方面来全面深刻地了解自己，认识到你自己到底是个什么样的人、自己需要的是什么、自己的目标是什么，这样才能找准自己的位子，给自己准确的定位。具体来说就是要把自己放在大的社会现实环境和历史条件下认识自身的条件、能力、地位、作用、责任等，也要把自己放在小环境中认识自己的条件、能力、地位、作用和责任等，给自己在社会大环境和小环境中恰当定位，这样才会对理想自我的构建、自我的发展以及人际关系的处理大有裨益。其次，就是要给自己信心。

日本保险业泰斗原一平在27岁时进入日本明治保险公司开始推销生涯。当时，他穷得连中餐都吃不起，经常露宿公园。

有一天，他向一位老和尚推销保险，等他详细说明之后，老和尚平静地说："听完你的介绍之后，丝毫引不起我投保的意愿。"

老和尚注视原一平良久，接着又说："人与人之间像这样相对而坐的时候，一定要具备一种强烈吸引对方的魅力，如果你做不到这一点，将来就没什么前途可言了。"

原一平哑口无言，冷汗直流。

老和尚又说："年轻人，先努力改造自己吧!"

"改造自己?"

"是的，要改造自己首先必须认识自己，你知不知道自己是一个什么样的人呢?"

老和尚又说："你在替别人考虑保险之前，必须先考虑自己、认识自己。"

"考虑自己？认识自己?"

"是的！赤裸裸地注视自己，毫无保留地彻底反省，然后才能认识自己。"

从此，原一平开始努力认识自己、改善自己，大彻大悟后终于成为一代推销大师。

认识自己、改造自己，这是我们一生中要努力追寻的目标。加入推销行列，首先便是推销你自己——你的形象、你的修养、你的气质、你的人格。 其次，要从多个角度、多个侧面来客观评价自我。 一方面，要进行纵向比较，既将现实的自我和理想的自我做比较，看到自己的差距；同时，也要将现实的自我与过去的自我做对照，看到自己的进步。 另一方面，要进行横向比较，与超过自己的、与自己相似的、比自己稍差的人做比较。 要将上述各个方面获得的信息综合分析，以获得较为客观的评价。 既不妄自菲薄，也不夜郎自大， 同时也要避免盲目地接受他人的暗示和对权威、群体性心理的完全依赖。 要有自己独立的意志，避免以一时、一事作为衡量评价自我的尺度，要对自己有一个稳定的、概括的评价。

把命运握在自己手里

对于一个人来说，对理想的憧憬是指导他走向幸福的明灯，是让他充满活力与激情的动力。我们应该有一种低调的姿态，不能随意奢望自己谱写出怎样华美的人生篇章，但是一旦我们缺少了向往，就会放弃对自己人生的规划，如此一来可能终其一生也只能仰望他人。

人的生命是无价之宝，可以创造的价值是无限的，至于一个人能创造多少价值、他的人生如何，完全取决于自己内心愿景的规划，而非外界的种种条件。因此，一个人的价值不是由外界来判定的，而是靠自己努力换取的。即使现实不如意也不要心存不满，其实你已经拥有足够多的东西，只是你没有发现、没有利用而已。

我们要明白的是，一个人最大的财产就是自己，面对生活不要埋怨。如果你不能成为大道，那就当一条小路；如果不能成为太阳，那就当一颗星星。不要总觉得自己一无是处，每个人在世上都是独一无二的，不管处在什么境地，始终相信命运把握在自己手中。

在很早以前，哈佛大学的一个行为问题调查组曾经对 100 名学生进行了一次抽样调查，向每个人提出了同一个问题："10 年以后，你希望在什么地方，从事什么工作？"这些学生都回答说，他们想得到财富、荣誉，希望去经营大公司，或者从事能影响和主宰我们所生存的世界的重要工作。

◇ 人要牢牢掌握自己的命运 ◇

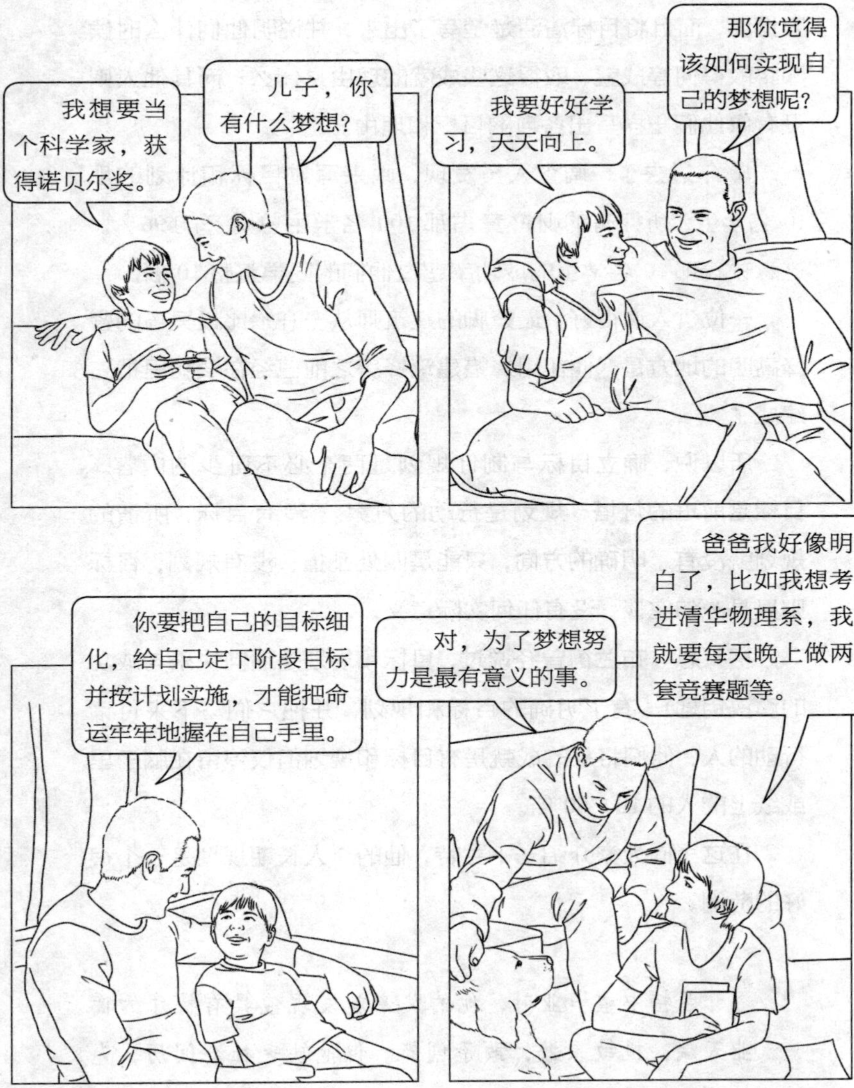

人对理想的憧憬可以指引他走向幸福，拥有无限的动力。对目标有清晰规划的人往往对成功更为渴望，更能调动自己的主观能动性，从而也更容易获得成功。

在这100名接受调查的学生中，有10名学生不仅决心征服世界，而且将目标清清楚楚写了出来，并说明他们什么时候即将取得何等成就、取得这些成就的理由是什么；而其他人则没有像他们一样写出各自的目标和理由。

10年过去了，调查人员发现，原来写过目标和计划的那10名学生，所拥有的财产竟占那100名学生总财产的96%。这意味着那10名学生的成功率超过他们的同学整整10倍。

一位哲人说得好，最蹩脚的建筑师从一开始比最灵巧的蜜蜂高明的地方是，他在用蜂蜡建筑蜂房之前已经在头脑里把它建成了。

所以说，确立目标与制订规划是两个必不可少的内容。目标是前进的灯塔，规划是行动的方案。没有目标，所谓的规划就没有了明确的方向，只能是四处乱撞；没有规划，目标则只是一句空谈，没有任何实际意义。

格莱恩·布兰德曾经说过，目标和规划是通向快乐与成功的魔法钥匙！有了明确的目标和规划，并把它们写下来付诸行动的人，他们将来的成就是有目标和规划但仅停留在脑子里或纸上的人的10~50倍。

在这里向大家介绍一下兰特，他的个人长期规划是一个很好的范例。

兰特中学毕业时，他的父亲就发现他具有特殊的商业天赋：机敏果敢，敢于创新。但他缺乏社会阅历，尤其重要的是缺乏知识。父亲与他长谈了一次，并和他一起制订了一个能帮助兰特成为一个商界精英的长期规划。

这个规划将兰特的学习生涯分为四个阶段。

第一阶段：攻读理工科学士。通过在哈佛大学攻读最基础、最普通的机械制造专业，兰特具备了做商贸必备的专业知识，了解了产品性能、生产制造情况，培养了知识技能，建立了一套严谨的逻辑思维体系，还形成了脚踏实地的工作态度。在这四年中，兰特还广泛选修了其他专业课程，如化学、建筑、电子等。这些知识为他后来的商业活动创造了难以估量的价值。

第二阶段：攻读经济学硕士。通过在哈佛大学三年经济学硕士的学习，他了解了影响商业活动的众多因素，懂得了商业的社会地位和作用，掌握了经济学的基本知识。在这三年的学习中，他还认真学习了经济法，并将主要精力放在管理知识的学习上。

第三阶段：积累社会阅历。离开哈佛后，兰特并没有急着去经商，而是先做了五年政府的公务员。五年的时间，使兰特从一个稚嫩的青年成长为一个深谙世故的公务员，在环境的压迫下，他树立起强烈的自我保护意识，并广泛结交各界人士，建立起一套关系网络。他非常善于利用这些网络来获得丰富的信息和便利条件。

第四阶段：掌握商情，熟悉业务。兰特辞去公务员的工作，应聘到了一家国际性的大公司。通过在这里两年的锻炼，在掌握了丰富的商情与商务技巧之后，他谢绝了公司的高薪挽留，自己开办了一家商贸公司，开始了梦寐以求的经商生涯。

兰特的这四个学习阶段共用了 14 年的时间，每个阶段目标明确、任务具体。由于他在制订规划之前对自己将来的发展目标定位准确，每个阶段的学习都是以总的目标所需具备的素质作为出发点，科学规划，合理安排。因此，当规划完成后，兰特已经具备了成功商人所应具备的所有条件，他的公司经营得非常出色。

1976 年的冬天，当时的迈克尔 19 岁，在休斯敦大学主修电脑。他是一个狂热的音乐爱好者，同时也具有一副天生的好嗓子，对于他来说，成为一个音乐家是他一生最大的目标。因此，只要有空余的一分钟，他也要把它用在音乐创作上。

迈克尔知道写歌词不是自己的专长，所以又找了一个名叫凡内芮的年轻人来合作。凡内芮了解迈克尔对音乐的执着，然而，面对那遥远的音乐界及整个美国陌生的唱片市场，他们一点儿渠道都没有。

在一次闲聊中，凡内芮突然从嘴里冒出了一句话："想象你五年后在做什么？"

迈克尔还来不及回答，他又抢着说："别急，你先仔细想想，完全想好，确定了再告诉我。"迈克尔沉思了几分钟，开始说："第一，五年后，我希望能有一张唱片在市场上，而这张唱片很受欢迎，可以得到大家的肯定；第二，五年后，我要住在一个有很多很多音乐的地方，能天天与一些世界一流的音乐家一起工作。"

凡内芮听完后说："好，既然你已经确定了，我们就把这个目标倒过来看。如果第五年，你有一张唱片在市场上，那么你的第四年一定是要跟一家唱片公司签合约。

“那么你的第三年一定是要有一个完整的作品，可以拿给很多很多的唱片公司听，对不对？

“那么你的第二年一定要有很棒的作品开始录音了。

“那么你的第一年就一定要把你所有要准备录音的作品全部编曲，排练好。

“那么你的第六个月就要把那些没有完成的作品修饰好，然后让你自己可以一一筛选。

“那么你的第一个月就是要把目前这几首曲子完工。

“那么你的第一个礼拜就是要先列出一个清单，排出哪些曲子需要修改、哪些需要完工。”

凡内芮一口气说完了上述这些话，停顿了一下，然后接着说：“你看，一个完整的计划已经有了，现在你所要做的就是按照这个计划认真去做每一步，一项一项地去完成，这样到了第五年你的目标就实现了。”

说来也奇怪，恰好是在第五年，1982 年时，迈克尔的唱片开始在北美畅销起来，他一天二十四小时几乎都忙着与一些顶尖的音乐高手一起工作。

这中间的道理大家应该都明白：不管做什么事情，光有目标还是不够的，必须有一个详细的计划，接下来的事情就很简单了，只要一步一步地去完成就行了。当你把最后一步完成的时候，你就会发现目标已经实现了。

持之以恒才能走得更远

世界上许多成大事者往往是一些资质平平的人，而不是才智超群、多才多艺的人。我们怎样解释这种现象呢？

一些人取得了远远超过他们实际能力的成就，使很多人感到疑惑不解：为什么那些看上去智力不及我们一半、在学校排名末尾的同学却取得了巨大成功，在人生的旅途上把我们远远地抛在了后面？

其中一些人尽管在学校里被我们嘲笑，后来却能专心一个领域，耕耘不辍，最终到达目的地。尽管有些人智力平庸，但他们持之以恒，一步一步地积累了自己的优势，而那些所谓智力超群、才华横溢的人却仍在四处涉猎，浅尝辄止，最终一无所获。

杜邦公司创始人伊雷尼的哥哥维克多，是一个口齿伶俐、头脑敏捷、身材挺拔、相貌英俊的人，外表上可以说没什么缺点。他是一个社交明星，给每个人留下的第一印象都是完美的。但是熟悉他的人知道，他从来就没有从头到尾地办过一件事，就是答应过的事他也可能会忘掉。他仅仅是个吃喝玩乐的专家。如果派他外出考察，他回来后拿不出多少有价值的商业情报，却能绘声绘色地描述旅途中的美味佳肴。伊雷尼做火药买卖时，维克多在纽约给他做代理。维克多凭社交手腕发展了一

◇ 每一步都留下坚实的脚印 ◇

拥有远大的目标并不难，但并不是每个人都能一步步落实和实施。事情需要一步步做，目标也只能一步步实现。每一步都迈得坚实，才能最终达到既定的目标。在这个过程中也要不断给自己打气，不能丧失信念。

些客户，但是其中一位——拿破仑的弟弟杰罗姆，是一位花花公子，最终毁了维克多。在花天酒地的生活中，他们俩很投缘，只要杰罗姆缺钱，维克多就慷慨地掏腰包。正是杰罗姆的一笔笔巨额借款，导致了维克多贸易公司的破产。

伊雷尼则是截然相反的人。他身材不高，相貌平平，但在学习和工作上却有股近乎痴迷的专注劲儿，不达目的决不罢休。小时候在法国，家境还很宽裕的时候，他受拉瓦锡的影响，对化学着了迷。那时候他父亲皮埃尔是路易十六王朝的商业总监，兼有贵族身份，谁也想不到这个家庭在未来的法国大革命中会险遭灭顶之灾。拉瓦锡和皮埃尔谈论化学知识的时候，小伊雷尼稳稳当当地坐在旁边，竖起耳朵听着，他对“肥料爆炸”的事尤其感兴趣。拉瓦锡喜欢这个安安静静的孩子，把他带到自己主管的皇家火药厂玩，教他配制当时世界上质量最好的火药，这为他将来重振家业奠定了基础。

若干年后，伊雷尼全家人逃脱法国大革命的血雨腥风，漂洋过海来到美国。他的父亲在新大陆上尝试过七种商业计划——倒卖土地、货运、走私黄金……全都失败了。在全家人垂头丧气的时候，年轻的伊雷尼苦苦思索着振兴家业的良策。他认识到，目前战火连绵、盗匪猖獗，从事商品流通有很大的风险，与其这样倒不如创办自己的实业。但是有什么可以生产的呢？这个问题萦绕在他脑海里，就连游玩时他也在想。

有一天，他与美国陆军上校路易斯·特萨德到郊外打猎，他的枪哑火了三次，而上校的枪一扣扳机就响。上校说："你应该用英国的火药粉，美国的太差劲。"一句话使伊雷尼茅塞顿开。他想：在战乱期间，世界上最需要的不就是火药吗？在这方面我是有优势的，向拉瓦锡学到的知识会让我成为美国最好的火药商。后来，他就靠着这股专注和坚韧劲儿，克服了许多困难，把火药厂办了起来，办成了举世闻名的杜邦公司。

历史上，平庸者成功和聪明人失败一直是一件令人惊奇的事。通过仔细分析发现，出现这种现象的原因在于，那些看似愚钝的人却有一种顽强的毅力，一种在任何情况下都坚如磐石的决心，一种从不受任何诱惑、持之以恒的韧劲儿；相反，那些聪明却不坚定的人，往往没有一个明确目的，四处出击，结果分散精力、浪费才华。

一个聪明的孩子，不管是否在大学里遥遥领先，不管是否比社区的其他同龄人更引人注目，如果做事不持之以恒，就永远不会成功。

在同样的时间内，有些人学到的知识比别人多，做出的成就比别人高，这是因为他们全身心扑在自己的事业上，他们做起事来都有一股锲而不舍的劲头。

高效率蒸汽机的发明者詹姆斯·瓦特，从小就是出了名的心灵手巧的人，他在父亲的造船作坊里迅速掌握了修理航海仪表的技术，工匠们夸他"每根手指头上都刻着好运纹"。事实上，在拥有自己的工作台之前，小瓦特就把课余时间消磨在车间里，观察大人们干活，静静地思考。他是一个非常内向、好静的孩子，只要是他感兴趣的事，无论他正准备做、正在做还是暂时中断，他都会把心思放在上面，从没停止过。这样的人所取得的进步是那些三心二意的人望尘莫及的。

他中学毕业后来到格拉斯哥，想学一门手艺，但是这里竟然没有一个配当他师父的人，那些工匠可以教的，他早就会了。他不得不来到伦敦，从举世闻名的仪器专家中寻找自己的导师。他成了数学家、仪器制造专家约翰·摩根的学徒，一年中，他掌握了别的学徒需要三四年才能学到的东西。他是这样做的：每周在摩根的车间里工作五天，每天从清晨干到晚上九点，在休息时间又揽些零星的修理活儿来干。他用黄铜制作的法式接头的两脚规被评为全行业中最杰出的作品。出师时他告诉父亲："我认为不管在什么地方，我都不愁没有饭吃，因为现在我已经能像大多数工匠那样出色地工作了，尽管我还不如他们熟练。"

对于他这样的人，吃饭绝不是一个问题。他为格拉斯哥大学修好了一批天文仪器，在校园里得到了一个工作间，也得到了丰衣足食的生活。后来他又与一名建筑商合伙开了仪器制造修理厂，赚了不少钱。自从得到一台老式蒸汽机模型、弄清它的缺陷、意识到改进它的可能性后，他就从小安乐窝中走了出来，踏上了伟大的成功之路。他沉浸在对大气压、真空、冷凝、传热、冲程、能量、效率等错综复杂的环节的思索中，在工作中、在散步时、在水壶边、在床上……不停地考虑那个模型和环环相扣的难题，一旦心有所得，就扑到实验室里检验。这东西一旦成功，将对工业文明产生不可估量的影响。在此之前，人们普遍依赖自然界的不稳定的风力和水力来驱动机械设备，老式蒸汽机由于燃料消耗过大，只能在煤矿业运用，而且它发出的呼哧呼哧、吱嘎吱嘎、扑通扑通的噪音使几英里内都不得安宁。瓦特撇开其他事情，一心扑在蒸汽机上。

瓦特在15年的时间里，经过无数次艰苦的实验，终于把60多年中无人改进的震天响的矿井蒸汽机变成了可以牵引轮船和火车的动力，他自己也获得了巨大的财富和显赫的社会地位。

世界上没有任何东西能够替代恒心：才干不能，有才干的失败者多如过江之鲫；天才不能，“天才无报偿”已成为一句俗语；教育不能，被遗弃的教养之士到处充斥着。唯有恒心才能征服一切。

美国前总统尼克松堪称持之以恒的典范。众所周知，由于“水门事件”，尼克松被迫辞职。从辞职到他逝世前的20年中，他经历了巨大的精神折磨。在1974年被迫辞职后的一段时间里，他可谓一蹶不振，突然降临的失落与忧愤、媒体的穷追猛打和冷嘲热讽、熟人朋友们的避之不及，使62岁的尼克松患上了内分泌失调和血栓性静脉炎，医生说他基本上是一个废人。

这以后，尼克松连续撰写并出版了《尼克松回忆录》《真正的战争》《领导者》《不再有越战》《1999 不战而胜》和《超越和平》等一系列畅销全球的著作，以在野身份继续关心和介入美国内政外交，直到生命的终点。

“水门事件”后，尼克松虽然受到了极大的挫折，可他面对挫折表现出来的坚忍不拔和对国家的强烈忠诚、战胜人性弱点重新攀上人生巅峰的勇气却受到世人的钦敬。尼克松说：“我不怕失败，因为我知道还有未来。”他说：“失败固然令人悲哀，然而，最大的悲哀是在生命的征途中既没有胜利也没有失败。”他以一种积极的健康的心态去面对自己的人生，而从不自怨自艾。挫折、忧愤使尼克松成为一个深怀智慧的人，而坚持不懈、持之以恒则使尼克松又达到了人生的巅峰。

纵观古今中外的历史，凡是取得巨大成就的人，都是和尼克松一样勇于坚持到底，有恒心、有毅力的人。晋代左思花费十年时间收集素材，酝酿构思，以顽强不息的精神写出了令洛阳纸贵的《三都赋》；马克思用四十年的时间，在大英博物馆里“啃”书本，把博物馆里的水泥地都磨出了一个洞，写出了给人类历史带来新世纪曙光的《资本论》；丁肇中、杨振宁博士坚持做原子轰击实验，终于发现了J粒子，使宇宙不守恒定律在实验上得以成立。他们的成功雄辩地证明：只要具备了排难而进、坚持到底的精神，无论办什么事情都能取得成功；否则，则会半途而废、功败垂成。

德国科学家席勒在研究 X 射线即将看到曙光时，失去信心，罢手却步，遂将成功的喜悦奉送给了伦琴；牛顿晚年故步自封，坚持机械观点，以致晚年一事无成。

19 世纪英国作家福楼拜说得好："顽强的毅力可以征服世界上任何一座高峰。"不错，只要拿出顽强的毅力，持之以恒，坚持到底，事业的成功必将成为一种必然。当年宋庆龄在称赞张学良将军时曾说道："有超乎常人的毅力，必有超乎常人的抱负。"恒心、毅力都是相对于人生旅途上的坎坷和挫折而言的。

生活常常这样，在你向目标挺进的过程中，突如其来的打击、一次又一次的失败、莫名的痛苦和烦恼……如影随形一样地跟着你，很难彻底摆脱。于是，人们便有了勇敢和懦弱、坚定和犹豫、洒脱和痴迷、勤奋和懒惰、廉洁和贪欲之分，总之一句话，有了强弱之别，有了坚持到底和中途沉迷的差异。

做一个强者，首先是要做一个精神上的强者，做一个坚忍不拔、威武不屈的人。世间不存在人无法克服的艰难和困苦，在你面临绝境行将没顶时，在你气喘吁吁甚至精疲力竭时，你只要再坚持一下，奋力拼搏一下，困难就会被你征服，你就会坚强许多。

历史上有成就的人大多在追求成功的过程中经受着巨大的风险和舆论压力，他们不是退缩，而是坚忍不拔。

10 世纪英国福音传播者怀特费耳德是一个典型。在他追求事业成功的过程中，经历了许多舆论的谴责和世俗的刁难，甚至有人威胁要杀掉他。他的敌对者把他逐出教会，关闭他的教堂，甚至逼迫他离开所住的城镇，但他依旧在流浪的路途中传道。同时代的许多名流都对他大加鞭挞和嘲讽，每天他大概要经历数十次的“挫折和失败”，但是所有的这一切均未能阻止怀特费耳德继续他的传道事业，因为他知道他的事业是有益于大众的。

终于，成千上万的信徒涌到伦敦郊外的田野上听他的传道。他给威尔士和苏格兰的矿工讲道，为孤儿院募捐。他成了最有传奇经历、最有魅力的传道者。

坚持是导向成功的“临门一脚”，历史上很多成功者用自己的现身说法证明了这一成功定理。日本著名企业家土光敏夫说过，一旦把要做的事情决定下来，就一定要以必胜为信念，以坚忍不拔的精神干到底。人没有努力的界限，所欠缺的往往是坚定不移的意志……面前遇到墙壁，就要决心穿过去，即使失败了，只要紧紧盯住目标，最终就不会倒下去；即使倒下去，爬也要往前爬。歌德用激励的语言这样描述坚持的意义：“不苟且地坚持下去，严厉地驱策自己继续下去，就是我们之中最微小的人这样去做，也很少不会达到目标，因为坚持的无声力量会随着时间而增长，直到没有人能抗拒的程度。”

第六章

培养宽容性格：气度决定人生高度

懂得宽容，开阔胸怀

在生活中有这样一种现象，即人在受到伤害的时候，最容易产生两种不同的反应：一种是憎恨，另一种是宽恕。憎恨的情绪使人浸泡在痛苦的深渊里，反复抱怨对方的不是，结果把自己的心情越弄越糟。如果憎恨的情绪持续在心里发酵，可能会使生活逐渐失去秩序，行为越来越极端，最后一发不可收拾。而宽恕就不同了，懂得宽恕的人能够积极地去思考如何原谅对方。

很多时候，我们之所以很难宽恕他人，是因为我们大都认为每个人都应该为自己所犯的错误付出代价，这样才符合公平正义的原则，否则岂不便宜了犯错的一方？但是不宽恕会产生什么结果或副作用呢？例如痛苦、埋怨、憎恶、报复等，这些结果值不值得再承受，恐怕才是更重要的一个问题。

宽恕也是一种能力，一种让伤害停止继续扩大的能力。没有这种能力的人，往往需要承担因为报复所产生的风险，而这风险往往难以预料。

很多不愉快的记忆使我们不能从被伤害的阴影中平安归来，痛苦总是如影随形，我们也就不能放松和平静了。所谓没完没了，除了不能释放对方，也可能使自己成为一名心灵被俘虏的囚犯。

一位名人曾说："也许在很久以前，有人伤害了你，而你却忘不了那件不愉快的往事，到现在还痛苦不堪，那就表示你

◇ 包容他人才能聚人心 ◇

人要有雅量，能宽容他人。一个人拥有宽广的胸怀，懂得宽恕他人，才能获得他人的爱戴与支持。包容他人就是包容自己，大度一些才是做人做事的真谛。

还继续在接受那个伤害。其实你是很无辜的，你要了解到，你并不是世界上唯一有这种经历的人。赶快忘掉这不愉快的记忆，只有宽恕才能释放你自己，让你松一口气。”

曾经有三位前美军士兵站在华盛顿的越战纪念碑前，其中一个问道：“你已经宽恕了那些抓你做俘虏的人吗？”第二个士兵回答：“我永远不会宽恕他们。”第三个士兵评论说：“这样你仍然是一个囚徒！”

显然，第二个士兵把自己囚在自己的心狱里而不能自拔。这实际上是说，不宽恕别人就是不放过自己。

所以，我们一定要学会宽恕，因为宽恕是做人的美德。在生活中懂得宽恕的人是一个智慧的人，因为它能减轻误会和仇恨，从而避免一些冲突和不愉快的事情发生。

乔·路易曾是美国著名的拳王，纵横拳坛多年，打败了许多高手，而他在生活中为人非常谦和，对人又特别宽厚，和他在拳击场上的勇猛完全不一样。

有一天，乔·路易和他的一位朋友一起开车外出，结果在拐弯的时候和一辆货车擦了一下。乔·路易看见自己的车被蹭掉了一块漆，也没什么大毛病，对方的货车也没什么问题，就准备上车走了。

谁知对方下了车，气冲冲地不由分说就将他痛骂了一顿。乔·路易一声不吭地听着，那人骂够后上了车扬长而去。

货车司机走后，他的朋友非常奇怪地问他：“那个人如此无礼，你又不怕打不过他，为什么不将他修理一顿?”

乔·路易十分幽默地回答道:“如果有人侮辱了歌王卡罗素,你想卡罗素会为他唱一首歌吗?”

一个人的品格不应由他特殊的行动来衡量,而应由他日常的行为来衡量,因为只有日常行为的好坏才能反映个人素质的高低,乔·路易用行动证明了自己是一个有涵养的人。因此,我们在评价别人时不如借鉴一下,永远不要对敌人心存报复,那样对自己的伤害将大过对别人的伤害。

第二次世界大战期间,一支部队在森林中与敌军相遇,激战后两名战士与部队失去了联系,这两名战士来自同一个小镇。

两人在森林中艰难跋涉,他们互相鼓励、互相安慰,半个月的时间过去了,依然没有与部队联系上。有一天,他们打死了一只鹿,依靠鹿肉艰难度过了几天。也许是因为战争使动物四散奔逃或被杀光,这以后他们再也没看到过任何动物。他们仅剩下一点鹿肉,背在年轻战士的身上。

有一天,他们在森林中又一次与敌人相遇,经过再一次激战,他们巧妙地避开了敌人。就在自以为已经安全时,只听一声枪响,走在前面的年轻战士中了一枪,幸亏伤在肩膀上!后面的战士惶恐地跑了过来,他害怕得语无伦次,抱着战友的身体泪流不止,并赶快把自己的衬衣撕下包扎战友的伤口。

晚上，未受伤的战士一直念叨着母亲的名字，两眼直勾勾的。他们都以为他们熬不过这一关了，虽然饥饿难忍，但他们谁也没动身边的鹿肉。天知道他们是如何度过的那一夜，第二天，部队救出了他们。

事隔30年，那位受伤的战士安德森说："我知道谁开的那一枪，就是我的战友。当时在他抱住我时，我碰到了他手中发热的枪管。我怎么也不明白，他为什么对我开枪？但当晚我就宽恕了他。我知道他想独吞我背着的鹿肉，我也知道他想为了他的母亲而活下来。此后30年，我假装根本不知道此事，也从不提及。战争太残酷了，他母亲还是没有等到他回来。我和他一起祭奠了老人家，那一天，他跪下来，请求我原谅他，我没让他说下去。我们又做了几十年的朋友，我宽恕了他。"

宽容的最高境界就是宽容那些曾经伤害过我们的人。这不是一件容易的事，但是倘若我们这样做了，那么我们就会从中体验到自身的富有和强大。而当一个人能够宽容别人时，也必定能够宽容他自己，因为当他对自己充满自信之后，就无须去防御别人。他敢于正视自己的缺点，对一生中所遭受的不可避免的冲突和挫折具有必要的忍耐力。他能够积极地参加丰富多彩的活动，从中克服自己的弱点，使自己不断趋于完善。

因此，原谅那些曾经伤害过自己的人，这样会给你带来一种身心的平和。如果你拒绝忘记那些微不足道的陈年往事所引起的愤怒，就不能体会到这种平静。

宽恕敌人有时就像镜子反射出你对自己的宽恕一样。宽恕是我们心灵成长的动力，它能治疗一切痛恨，能够增强人际间的和谐。不肯宽恕的人大多是自以为聪明的人，但从长远来看，他们并不聪明。记住别人对我们的恩惠，洗去我们对敌人的怨恨，在人生的旅途中才能自由地飞翔。

在现实生活中，容忍对你是大有益处的。不论是什么人，在得到你的宽容后，他们都会对你心存感激和敬重，因此，你的影响力、亲和力就会得到很大的提高。而如果一味仇恨，那么，在仇恨中开出的花朵会结出仇恨的果实。所以，选择宽容，我们的人生之路才会更宽广。

有位心理学家曾说："人类要开拓健康之坦途，首先就要学会宽容。"当我们学会了宽容别人的时候，也就学会了善待别人；当我们学会了善待别人的时候，也就享受到了体验快乐的感觉。

宽容能够使人健康乐观地面对眼前的一切。宽容的人心胸宽广，能够以一种积极而乐观的心态和豁达的胸襟来看待周围的一切。宽容的人从来不会为一些鸡毛蒜皮的小事而斤斤计较，也从来不会对别人的过错而大发雷霆，因而这种人更易于沟通交流，这种品质能使你更具有人格魅力，更易于搞好人际关系。

宽容自己，别和自己过不去

当我们碰到人生的波折时，宽恕自己，才能把犯错与自责的逆风化为成功的推动力。

如果你仔细观察周围就会发现，在我们宁静的生活中，大多数人都是亲切的、富有爱心的，也是宽容的。如果你犯了错，而且真诚地要求他人宽恕时，绝大多数人不仅会原谅你，而且也会把此事忘得一干二净，使你再次面对他们时一点愧疚感也没有。

可贵的是，我们这种亲切的态度对所有人都一样，没有什么人种、地域、民族的区别，但就只对一个人例外，就是我们自己。

也许你会怀疑："人类不都是自私的吗？怎么可能严于律己、宽以待人？"是的，人总是会很容易原谅自己，不过这只是表面上的饶恕而已，如果不这么自我安慰的话，如何去面对他人？但在深层的思维里，一定会反复地自责："为什么我会那么笨？当时要是细心一点就好了。"或是："我真该死，这样的错怎能再发生？"

如果你还不相信，可想想自己有没有犯过严重的错误，如果想得出来，那你一定有过耿耿于怀，并没有真正忘了它。表面上你原谅了自己，实际上你将自责收进了潜意识里。

我们可以对他人这么宽大，难道就不应该对自己这么仁慈吗？

没错，我们是犯了错，但世上谁能无过？ 犯了错只表示我们是人，不代表就该承受如下地狱般的折磨。 我们唯一能做的只是正视这种错误的存在，在错误中学习，以确保未来不会发生同样的憾事，接下来就应该获得绝对的宽恕，再下来就应该把它忘了，继续往前走。

人的一生在不断地犯错误，如果对每一次错误都深深地自责，那么一辈子将背着一大袋的罪恶感，你还能奢望自己走多远？

犯错对任何人而言都不是一件愉快的事情，一个人遭受打击的时候难免会格外消沉，在那一段灰色的日子里，你会觉得自己就像失败的拳击选手，被那重重的一拳击倒在地上，头昏眼花，满耳都是观众的嘲笑和失败的感觉。那时你简直不想爬起来，觉得自己已经没有力气爬起来了，可是你会爬起来的——不管是在裁判数到十之前还是之后。 而且你还会慢慢恢复体力、平复创伤，你的眼睛会再度张开，看见光明的前途。 你会淡忘掉观众的嘲笑和失败的耻辱，为自己找一条合适的路——不要再去做挨拳头的选手。

玛丽·科莱利说：“如果我是块泥土，那么我这块泥土也要预备给勇敢的人来践踏。”如果在表情和言行上时时显露出卑微，每件事情都不信任自己、尊重自己，那么这种人也将得不到别人的尊重。

生活中有这样一种人，他们对自己的要求很严格，希望所有美好的事情都发生在自己身上，一旦遭遇不如意，便抱怨、沮丧、焦虑、自我否定或自我谴责。

小王是某销售公司的一名员工，整天多愁善感，遇到一点挫折就垂头丧气，总是怪自己太笨。有时候确实是因为工作难度大了，有时候确实是事出有因，但更多时候是他对自己的要求太高了，可他却不去考虑多方面的因素，只要一遇到不顺心的事就一个劲儿地埋怨自己。刚开始朋友还会去劝他，可一直这样，弄得大家也都没有了好心情和耐性，干脆都不去理会他。久而久之，他就感觉被人冷落了，甚至抑郁成病。

其实，生活中难免会有烦恼，有时人生的烦恼不在于自己获得多少、拥有多少，而是自己想得到更多。

有时因为想得到的太多，而自己的能力却难以达到，所以便感到失望与不满，然后就自己折磨自己，说自己“太笨”“不争气”等，就这样经常自己和自己过不去，和自己较劲。小王就是一个这样的典型，他无法宽容自己，所以烦恼就比别人多。

人总有不顺心、不如意的时候，其实外在不是真正能主宰你的因素，真正能决定结果的是你自己。

比如：你害怕别人说你胖，你千万次地看过自己后，决定节食减肥。面对餐桌上的诸多美食，你只能闭着眼睛咽口水，忍受着饥饿的折磨。实在没办法时，只能在美食面前选择逃避！几日后，身材可能变苗条了，听到了别人的赞美，可是只有自己最清楚，体质已经下降了。一个人之所以快乐，不是因为他拥有的多，而是因为他计较得少。

人这一辈子不可能总是春风得意、一帆风顺，肯定会有许许多多不如意的事，说不定哪一天生活就会跟你开一个不大不小的玩笑，使你结结实实地撞上无情的“红灯”，或事业失败，或爱情失意等。这时候就得想开点，平淡地面对生活，多劝劝自己，千万别跟自己过不去。

如果你想不开、吃不下、睡不着，又有什么用呢？过多的烦恼和压力只会将你的心灵挤压得支离破碎。而且人体的各种器官在心情烦恼或怒火中烧的情况下会处于紧张状态，往往会引起失眠、神经衰弱等。若是长期处于忧郁状态，还会诱发其他心理疾病。

所以，人要学会对自己好一点，不要跟自己过不去，要知道世上没有跨不过的沟，也没有蹚不过的河，要想得通、放得下。

其实，静下心来仔细想想，生活中的许多事情之所以没办成，并不是因为你的能力不强，而是因为你的愿望不切实际。要知道一个能力超强的人也并非具有做任何事情的才能，这样想时才不会强求自己去做一些能力做不到的事情。

在生活中，我们应该时常肯定自己，努力做好我们能够做好的事情，剩下的就交给老天吧！只要尽力而为了，心中也就坦然了，即便在生命结束的时候也能问心无愧地说：“我已经尽了自己最大的努力，我是无愧于心的。”

生活是多姿多彩的，活着就要品尝生活的百味，所以不要钻牛角尖，不要自己和自己过不去。

如果你觉得不开心，那就学会自己去寻找生活中的快乐。其实获得快乐的方式也很简单，比如：早晨醒来睁开眼睛看着天花板，你可以用快乐的心去感受那纯净的白色；上午在窗前读一本文采飞扬的书，你可以用快乐的心去体味书中的感动；下午坐在摇椅上呼吸、冥想，你可以用快乐的心去触摸太阳的温暖；黄昏到楼下茶馆里去品一杯醇香的红茶，听一曲悠扬的旋律，你可以用快乐的心去迎接黑夜的来临；晚上给家人煮一锅又鲜又香的排骨汤，你可以享受到付出的快乐。

每个人活在世上都会遇到各种各样的事情，或喜或忧，或成功或失败，我们无从选择。但我们可以做到宽容自己，不对自己提过高的要求，这样就能够调整好自己的情绪，从而使得身心健康。

多些雅量，做人要有气度

一个人的成就和他所拥有的气度和胸怀是分不开的。心胸宽广之人，在宽恕他人时也能够赢得他人的爱戴和信任。

胡亚雷斯是1858—1872年的墨西哥总统，墨西哥著名的资产阶级革命家和杰出的民主主义者。他是个纯血统的印第安人，牧童出身，连续当了四任总统。微贱的出身和他建立的丰功伟绩使他成为一个传奇人物。

一次，胡亚雷斯到维拉克鲁斯视察，他被迎进了卡利州长的官邸。州长给他安排了最好的房间，但胡亚雷斯借口其下属奥坎波的房间更接近浴室，恳求和他交换。在胡亚雷斯一再要求下，奥坎波让步了。第二天清晨，胡亚雷斯走出房间到浴室去，可浴室没有水。他拍了几下手掌，来了一个名叫罗娜的女仆。她是个乡村妇女，已经不再年轻，还有点脾气。

“你要什么？”女仆问道。

“请打一点水来。”胡亚雷斯请求她。

“你要乐意就等着吧，好一个爱干净的印第安人！我总得先招待总统吧！”

胡亚雷斯什么话也没说就回自己房间里去了。过了一刻钟左右，他又请女仆打点水来。

“你要乐意就等着，我得先伺候胡亚雷斯先生！真不像话！没见过你这么不识相的人！这么着急，你就自己动手嘛，水龙头就在那儿！”说着给他指点了庭院一角的一个盥洗处。

胡亚雷斯没对发脾气的罗娜说什么，自己走去打水漱洗。

到吃午饭的时候，那个女仆穿上了最好的衣服，心情紧张地盼着见到共和国总统，希望有机会荣幸地伺候他。

突然间，她看见那个不识相的印第安人穿一身黑色大礼服，在卡利的陪同下沿着走廊穿过大厅。

“那家伙也来了。”那个女仆自言自语道。

当女仆看见大家一直等那个印第安人坐到高背椅上之后才敢入座，她吓得面无血色，浑身哆嗦，不由得惊叫一声。大家转过身来瞧那个尴尬的女仆，她哭得很伤心。胡亚雷斯站起身来，亲切地拉着她的胳臂说：“别哭了，小姐。您不要担心，没什么大不了的。如果您的工作是招待大家，那就去吧，因为这里每个人都应当尽自己的本分。”

人在愤怒的时候总是说些尽可能伤害别人的话，这样才显得话的分量。但当我们冷静下来的时候，也许会后悔曾经的冲动。当你遇见生活中不如你所愿的事时，请冷静下来，多一份包容，包容别人也就是包容自己。

应该承认，有些高贵的品质是普通人毕生企望但仍不可能拥有的，但一个人的雅量却是完全能够通过修炼而得到的。

佛家有典故说：释迦牟尼功德圆满，有人却妒性大发，当面恶意中伤他。

佛祖笑而不语。待那人骂完后，佛祖问：“假如有人送你东西，你不愿意要怎么办?”

那人答：“当然是还给他了。”

佛祖说：“那就是了。”

于是，那人羞愧而退。

这个故事就是告诫人们要多些雅量。

有人问雅典的哲学家汰波士：“你由哲学中获得了什么?”

“一个人无法具有和所有人交往的能力。”汰波士回答说。

有人以挖苦的口气对他说：“我常常在富人的邸宅见到阁下在……”

这种语气对哲学家似有非难之意，但是汰波士坦然地回答说：“这就如同在患者家中见到医生一样，只是没有任何一个人会想当医生而不做病人吧!”

史拉科赛王问汰波士：“为什么富有者都不想进入哲学的殿堂?”

这位主张快乐主义的哲学家慨然回答说：“哲学家知道自己的需要，而有钱人却不知道。”

有一次，哲学家的朋友有事请求国王应允，但国王却不答应，于是哲学家跪在国王的脚下。国王终于答应了朋友的请求，但四周的人却没有一个愿意称赞他，反而幸灾乐祸地说："你们瞧一瞧，那卑屈的态度算什么呢？这怎能算是哲学家呢？"

嘲笑他的人不少，但是他却若无其事、表情淡淡地说："该受到嘲笑的也许不是我，而是耳朵长在脚上的国王吧！"哲学家的这份雅量是值得所有人学习的。

记住，生活不会亏待有雅量的人。

大度一点，避免不必要的争论

在人与人的交往中，往往会发生一些争论，但十次有九次的争论结果是，每个人都越加坚定地相信自己是正确的，这种心理会随着争论的深入而更加坚定。

歌剧男高音歌唱家真·皮尔士就采取了从一开始就避免争论的方法，使他的婚姻在幸福中度过。

一次他说："我太太和我在结婚之前就订下了协议，不论我们对对方如何愤怒不满，都一直遵守这项协议：当一个人大吼的时候，另一个人就应该静听。因为当两个人都大吼的时候，就没有沟通可言了，有的只是噪音和震动。"

这件事告诉我们：不论对方才智如何，你都不要与他争论，因为你不可能靠争论改变任何人的想法。

林肯总统有一次斥责一位和同事发生激烈争吵的青年军官。他说："任何决心想有所作为的人绝不肯在私人争执上耗费时间。在跟别人正误参半的问题上，你要多让步一点；如果你确实是对的，就少让步一点。总之，不能失去自制。"

事实上，争论是不可能杜绝的，但可以采取一些方法加以解释或避免。要避免争论就要看你有没有耐心和虚心。你可以做的是：你首先应该是一个大度的人，欢迎别人针对你的不同意见，并能虚心地接受；你不要太信任自己的直觉印象，你要慎重、平静，尽管人的本能反应是自卫，但这可能是你最差劲的地方；当然，一个脾气不好的人最容易与别人争论，如果你属于这种人，适当控制一下你的脾气，也能有好的效果。你的大度还应该体现在先让别人把话说完，给对方一个说话的机会。你的抗拒、争辩只会增加彼此沟通的障碍。如果一开始你就能主动去寻找对方的话中你同意的观点，这会让你的直觉反应有所减缓。当然，如果你的观点是有偏颇的，那就应该诚实地承认自己的错误，并为之道歉，这些都可以有效地避免发生争论。

其实，要避免争论，只要一开始就去用心与他人交往，对待他人像对待自己一样，许多矛盾从一开始就可以轻松解决了。

一天，库克驾驶着蓝色的宝马回到公寓地下的车库时，又发现那辆黄色的法拉利停得离他的泊车位那么近。“为什么老不给我留些地方？”库克心中愤愤地想。

没过多久，库克比那辆黄色的法拉利先回到家。当他正想关掉发动机，那辆法拉利开了进来，驾车人像以往那样把她的车紧紧地贴着库克的车停下。库克实在无法忍耐，外加他正患感冒，头疼得厉害，况且他还刚收到税务所的催款单，于是库克怒目瞪着黄色法拉利主人大声喊道：“你是不是可以给我留些地方？离我远些！”

那位黄色法拉利主人也瞪圆双眼回敬库克：“你怎么能这么说！”她边尖着嗓门儿大叫边离开车子，对库克不屑一顾地看了一眼就转身走了。

库克咬咬牙心想：“我会让你尝尝我的厉害。”第二天，库克回家时，黄色的法拉利正好还未回车库，库克把车子紧挨着她的泊车位停下，这下她也会因为水泥柱子而打不开车门。

接着几天，那辆黄色的法拉利每天都先于库克回到车库，逼得库克连连叫苦。

库克在懊恼之余也为自己的不理智行为后悔，冷静之后的库克开始寻求一种新的解决方法，并很快有了结果。

第二天早晨，黄色法拉利的女主人一坐进她的车子就发现挡风玻璃上放着一个信封，上面写着：

“亲爱的黄色法拉利：

很抱歉我家的男主人那天向您家女主人大喊大叫。他并不是有意针对哪个人，这也不是他惯有的作风，只是那天他从信箱里拿到了带来坏消息的信件。

我希望您和您家的女主人能够原谅他。

您的邻居蓝色宝马”

第二天早晨，当库克走进车库时，一眼就发现了挡风玻璃上的信封，他迫不及待地抽出信纸。

“亲爱的蓝色宝马：

我家的女主人这些日子也一直心烦意乱，因为她刚学会驾驶汽车，因此还停不好车子。我家女主人很高兴看到您写的便条，她也会成为你们的好朋友的。

您的邻居黄色法拉利”

从那以后，每当蓝色的宝马和黄色的法拉利再相见时，他们的驾车人都会愉快地微笑着打招呼。

有些人是天生富于反抗性的，他们有一种不肯附和别人的倾向和心理，你越是和他争论，就越会激发他们内心的对抗性。你如果命令他们做什么事，他们偏偏会逆着你的意思去做，并不是因为服从命令是一件难事，只是因为他们不愿被人指挥，这种现象在年轻人中较常见。

避免争论可以节省你大量时间，使你投入到完善和实践你的观点的工作中去。所以，你完全没有必要浪费太多时间去干那种没有结果也毫无意义的事情。